働き方 .0

これからの世界をつくる仲間たちへ

落合陽一
Ochiai Yoichi

小学館新書

働き方５・０　これからの世界をつくる仲間たちへ

目次

新書版まえがき——今こそ「未来の働き方」を共有したい

２０２０年は、私たちの「働き方」について大きな変革を迫られる年になりました。年初から世界中で猛威をふるった新型コロナウイルスの感染拡大により、多くの企業でリモートワークが実施されました。そんな中でテレプレゼンステクノロジー[*1]の進化により、「どこにいても仕事ができる」ことを実感した方も多いと思います。新型コロナによる影響は、このような観点から見ると、ヒトとヒトとの「非接触型インターフェース」の浸透を社会に促したといえるでしょう。

また、リモートワークによって使える人的・時間的リソースが限られる中で、「やるべき仕事」が自ずと抽出されてきた面もあります。無駄な会議、出なくてもいいミーティングは排除され、ビジネスチャットやビデオ会議で課題を共有するなど、テクノロジーで解決できることはそれに任せることが増えてきました。ジョブディスクリプション[*2]を明確にする必要性を痛感した人も多いのではないでしょうか。また人材についても同様で、リモートワークのみで済む人材への代替も検討されてきています。

「人間がやるべきことは何か」――コンピュータやインターネット、ＡＩが進化した今、私たちはこの命題に直面しています。人の物理接触がデジタルに置きかえられるポストコロナもしくはウィズコロナの世界では、それがいっそう問われることになります。

本書は、２０１６年４月に出版した『これからの世界をつくる仲間たちへ』（小学館）をベースにして、あらためて新書化したものです。２０１６年の頃から「これからの世界」として私が思い描いていたのは、コンピュータと人間が新しい関係性を築く「デジタルネイチャー」の世界でした。「これまでの世界」とは、もう「自然」のあり方が根本的に違う。もはや、コンピュータやインターネットなどのデジタルな情報があふれ人工物と自然物が垣根なく存在する環境が、人間にとっての「新しい自然」だということです。

そのデジタルネイチャーの世界観は、この４年間にも劇的に私たちの生活の中に根づき、進展したと言えるでしょう。たとえば、コンピュータの音声認識。４年前はまだ精度が低く、広く使われるほどではありませんでしたが、いまは小さな子供でも日常的にｉＰｈｏ neのSiriやAmazonのスマートスピーカーに話しかけて機械を動かしています。顔認証もこの4年間で、もはや当たり前の技術になりました。人は、極めて自然にこの技術環境に順応しています。

Uber Eats(ウーバー・イーツ)で食事を取り寄せる人も増えました。都心では、自転車でウーバー・イーツの配達をしている風景は見慣れたものになりましたが、このサービス自体、この本が刊行されたときにはまだ日本では存在していないものでした。

AI(人工知能)やロボットなどの進化も目覚ましいものがあります。2017年頃からは、日本国内でもRPA(ロボティック・プロセス・オートメーション)がブームになりました。ホワイトカラーの定型的なデスクワークをプログラムによって自動化して代行するのが、RPAという概念です。工場で産業用ロボットがブルーカラーの仕事を代行するのと同じように、オフィスではRPAというソフトウェアのロボットが、それまでホワイトカラーのやっていた作業をこなしてくれるようになりました。それは「デジタル・レイバー」、つまり「仮想知的労働者」と呼ばれています。それによりビジネスはより小回りが利くようになりました。

これからもＡＩをはじめとするデジタル技術の進歩によって、人間がやっていた仕事がどんどん機械に代替されるようになっていき、それに我々が適応していくのは間違いないでしょう。

また、機械に仕事を奪われるどころか、すでに人間がシステムに組み込まれた状態になっている場面も見られます。前述したウーバー・イーツはその典型でしょう。注文や決済など、ほとんどの仕事はサーバー上で自動的になされて、品物を届けるところだけ人間が請け負う。人間が機械を道具として使うのではなく、見方によっては機械が人間を道具として使っていると考えることもできます。アメリカの西海岸では、すでにピザを自動運転ロボットが届けてくれるサービスも見られるようになりました。

もちろん、その一方で、機械では代替されにくく、付加価値の高い能力を持つ人材もますます強く求められるようになっています。本書では、そういう人材を「クリエイティブ・クラス」と呼びました。これはもともと米国の社会学者リチャード・フロリダの造語で、創造的な専門性を持つ知的労働者のことです。

ＡＩやロボットなどのテクノロジーに仕事を奪われている従来のホワイトカラーに対し

て、「クリエイティブ・クラス」は人材としての価値が高まっています。博士課程を出たばかりの新卒でも、真にクリエイティブな専門性を持っている人が、GAFA（Google・Amazon・Facebook・Apple）から年俸数千万円のオファーを受けることも珍しくなくなりました。

囲碁や将棋でAIが人間に勝つようになった頃から、「いずれ仕事をAIに奪われてしまう」と心配する人が増えていましたが、本質はそこではないのです。技能の民主化や自動化によってゆるやかに人材の価値が変化していくことに自覚的であるかどうかが大切です。いま人材としての価値を高めているクリエイティブ・クラスのように、その時代にも重要になる層は間違いなく存在します。その価値の変遷に気付きながら動くか、動かないかが、将来の価値を大きく左右するでしょう。

その一方で、「機械の下請け」としての労働が必ずしも人間にとって不幸というわけではないでしょう。Pokemon Goのような位置情報ゲームとウーバー・イーツとのインセンティブを付与する仕組み自体は、さして変わらないからです。また、ウーバーやウーバー・イーツの配達のように、ネットを通じた単発の仕事を請け負って稼ぐ「ギグエコノミー」も広がり、格差拡大に警鐘を鳴らす動きも増えています。いずれにしろ、コンピュータの進歩によって人間の生き方や働き方が大きく変わるのは避けられないでしょう。

2016年からよく目にするようになった言葉に「Society 5・0」(https://www8.cao.go.jp/cstp/society5_0/)という言葉があります。科学技術基本計画で提唱されたもので、〈サイバー空間(仮想空間)とフィジカル空間(現実空間)を高度に融合させたシステムにより、経済発展と社会的課題の解決を両立する、人間中心の社会〉とされています。これまでの「狩猟社会(1・0)」「農耕社会(2・0)」「工業社会(3・0)」「情報社会(4・0)」に続く、新たな社会の姿です。それは、AIやロボットが幅広い分野で進化し、人間とともに働いていく時代=「働き方5・0」の時代とも言うことができます。

「Society 5・0」自体は2020年までの第5期科学技術基本計画に盛り込まれたキャッチフレーズですが、その根底にある働き方や社会像の変化の流れは、ウィズコロナとも言える現状を加味しても大きく変わることは少ないと思われます。

それは、人間と機械が織りなす社会の中で、さまざまな問題が「コンピュータと人の組み合わせ」によって解決される時代です。人間が機械の主人になるわけでも、逆に機械が人間を支配するわけでもなく、コンピュータと人間が複雑に相互作用をしながら社会を形作っていく世界です。そういった新しい自然を見通しながら前掲著を書きましたが、数年経ち、アップデートをする機会に恵まれました。

ウイルス禍の中では、さらにデジタルの価値とフィジカルの価値の間に変遷が起こりつつあります。

本書では、そういう大きな変化の中で改めて「人間がやるべきこと」の本質は何なのかを考え、「これからの世界」を作っていくための考え方を提示しようと試みています。

今、この変化の重大さに気づいている人は増えてきたように思えます。しかし、これまでホワイトカラーがやってきた仕事のほとんどは、システムが代行するようになる可能性が高いにもかかわらず、いまでもその生き方を目指す人は、若い世代でも少なくありません。また、ビジネス書や自己啓発書の多くも、「好きなことをして生きる」という抽象論や近視眼的なノウハウや、相変わらず「優秀なホワイトカラー」になるためのノウハウを提供しています。私には、それがこれからの時代に沿った方向性とは思えません。「好きなことをして生きる」のではなく、適切な課題設定を社会に創造するのがクリエイティブ・クラスの役割だと考えているからです。
その意味で、本書を広く手にとっていただくために、あらためて新書という形で世に送り出すことにしました。デジタルネイチャーを生き抜くための考え方が、さらに多くの人々に届くことを願っています。

2020年6月　落合陽一

注

＊1　遠隔地にいる人と、目の前にいてコミュニケーションしているように対話できる技術

＊2　職務記述書と訳される。職務に必要なスキルや条件、責任範囲などを取り決めるために作成される

プロローグ

「魔法をかける人」になるか、「魔法をかけられる人」になるか

テクノロジーによって再生産される格差、超人類、そして貧困

21世紀のすでに約5分の1を消費したいま、私はやっと「ほんとうの21世紀」がやってきたような気がしています。ここで「ほんとうの21世紀」という言葉を使った意味は、前世紀の人類を支配していたパラダイム[*3]、映像によって育まれてきた共通[*4]の幻想を基軸とした思想の統治がようやく抜け落ちてきた、または変化してきたという実感があるからです。

前世紀のマスメディアによる統一的な考え方の「布教」とイデオロギー[*5]対立による戦争。冷戦を含む大きな戦いとその調停のための政治というパラダイムは「テロとの戦い」という形で2000年以降の社会のフレームワーク[*6]に接続されたと言えるかもしれません。2001年の同時多発テロや幾度かの戦争の危機を超えて、現在の社会へとつながっていま

す。資本主義社会によるグローバル化の波は、世界をある程度フラット[*7]にしてきましたが、米国イデオロギーの布教のための劇場装置として機能し、資本主義国家の言い分を世界に静かに浸透させる一方で、格差と持たざる者の怨恨をもたらす温床にもなりました。

残念なことに現在もテロと先進諸国との戦いに終止符は打たれていませんが、戦い方の形が変わってきたな、という印象を２０１６年に前著を執筆していた私は持ちました。

たとえば当時、テロリストがアップしていた動画やメッセージは、彼らの敵対するはずの米国資本主義のＩＴ技術である「カリフォルニアイデオロギー」（ネット文化やテクノロジーを生み出しているカリフォルニア州の地名をとってそう呼ばれる）から生まれた動画サイトやＳＮＳ[*8]の上で広まっていくという不思議な構造が見て取れ、情報発信もまたインターネット上のプラットフォームに制御されているように感じたことを覚えています。

インターネットはすでに自由な場所ではない。そこから脱しようとテロを起こしたとしても、米国資本主義によって統一されたイデオロギーの中で育ったプラットフォーム[*9]の上で行動を起こすより他はない。そう思っていた２０１６年頃から4年が経ち、ウイルスにより世界の様子が様変わりしていく２０２０年を眺めながら、デジタルと人の新しい局面においての人間とプラットフォームの関係性を考えています。

イデオロギー単位の大きな戦いから、一人ひとりが作り上げていく「個別の文脈」にあらゆることが分化していく。個々のイデオロギーは２０２０年、ウイルスという共通の敵の前でその形を明らかにしていっています。中国とアメリカとヨーロッパと、それぞれの対応策が異なる中、人々は電信によって繋がりながら、２０２０年の時間を過ごしているのです。このような日常その中で唯一全体に溶け込んだ共通概念、いまや思考や能力の電信装置と化したのが、コンピュータテクノロジーと言えるでしょう。

「共通の敵」と政治家が扇動するように、ウイルスによって逆に「炙り出された国境線」をまたぎ、テクノロジーそれ自体がかつての共通の幻想のような「最後の大きなもの」になりつつあります。あらゆる表現や文脈や主張がそこに吸収されていく中で、今の計算機[*10]カルチャーは金融資本主義と強固に結びついてきました。コンピュータという大きなものの文化的性質を知らずに生きていくことは、人々が貧困の側に回り、それが再生産されていく温床になりかねません。コンピュータテクノロジーに適応できた人類が超人類化・ネットワークハブ化していく中で、格差は広がっているのです。計算機的特徴は、専門的テクノロジーの分野のみではなく、教養として身につけるべき文化と化しているのです。

デジタル計算機が生まれて80年、世界は「魔法」に包まれた

私が初めてコンピュータの世界に触れたのは、8歳のときでした。ちょうどマイクロソフトの新しいOS「ウィンドウズ95」が発売された頃です。

発売日には秋葉原がお祭り騒ぎになるほどのブームになったぐらいですから、（日本の）大人の世界ではその前後からパソコンが普及し始めたのでしょう。でも、当時の子どもにとっては身近なものではなかった気がします。

いつでもどこでもインターネットにつながるような社会ではまだなかった頃。日本の小中学生が、まだテレビアニメやテレビドラマを決められた時間に見て、お小遣いを貯めて好きなアーティストのCDをお店で買って、ゲームの発売日には列を作って並んで、友達の家に遊びに行くときにはその友達の家の電話番号をプッシュホンでダイヤルするような生活をしていました。まだ、テレビとマンガ雑誌で知る情報がたいていの子どもたちにとっての唯一の情報源で、みんなが同じ方向を向いていた。バブル崩壊後のなんとなく不景

気で、なんとなく均質化した時代に少年時代を過ごしました。

だから、まわりの小学生たちがみんな私のようにパソコンを欲しがっていたわけではなかったと思います。友達とそんな話をした記憶もありません。それに、私のうちは両親・祖父母そろって文系人間なので、家にもまだパソコンはありませんでした（当時のパソコンは高価で、グーグルもなく、理系の人やメカ好きの大人たちが好んで使う道具でした）。いまはスマホで遊ぶゲームがあったり、友達同士のコミュニケーションをアプリで行ったりするのがふつうですが、当時のパソコンはそういうコミュニケーションツール的な使い方をするものがあまり多くなかったので、いまと比べればとにかく子どもの目に触れにくいものだったなぁと思います。

それなのに「欲しい」と思ったのは不思議な気もしますが、たぶんテレビの特集か、マンガ雑誌の広告か、親の持っていた雑誌記事の広告か何かを見て、「パソコンって面白そう」と思ったのでしょう。おそらく新しいオモチャが欲しい程度にしか考えてなかったと思います。小学生にはかなり高価な「オモチャ」（40万円近い）でしたが、祖父にねだって買ってもらいました。そのパソコンでホームページを作ったり、そこにCGI[*11]というプログラムで掲示板を立てたり、ページの閲覧者数がわかるカウンターを置いたりして遊んでいたのですが、いちばんよく使ったのは、ＣＧ（コンピュータ・グラフィックス）のソフトでした。マイクロソフトが３Ｄを動かせる子供用のＣＧソフトを出していたので、それも買ってもらって、ひとりでカチャカチャいじって遊びました。いまの子どもたちがｉＰｈｏｎｅで遊ぶのと似ています。

それはＣＧで動画を作るソフトだったので、単に絵を描くだけではありませんでした。自分でちょっとしたストーリーを作り、セリフも録音できました。「ごっこ遊び」を画面の中に作ることができたのです。

これが、とても楽しかった。スーパーファミコン[*12]も持っていましたが、当時はまだ３Ｄで動くゲームで遊んだ経験がほとんどなく、二次元移動のものばかりでした。遊んだゲームの中で、スーパーファミコン版の「ドンキーコング」というゲームだけは立体感のあるグラフィックスでしたが、パソコンのグラフィックスのほうが圧倒的にきれいだったので、夢中になって遊んだものです。画面の解像度も描画性能もいまのスマホ以下でしたが、小学生にとってはそこそこ大きな画面で、自分の世界観を表現していく喜びを感じたのだと思います。

この本を2016年に書いた頃の私はメディアアーティスト、そしてコンピュータ研究者として「映像と物質の差をどう踏み越えるか」といったテーマに取り組んでいましたが、今では計算機自然（デジタルネイチャー）の哲学の中にどっぷり浸っています。振り返れば、子どもの頃からそうしたことに興味があったのだと思います。触れられるものと触れられないものの差を意識すること、目に見えるものと見えないものの差を考えること、コンピュータのデータで動くものとデータで動かないものの違いを意識すること。テレビやコンピュータのもたらす映像、色と光と音の存在と、この現実世界にある物質、そして我々の認識する世界との差を意識しながら生きてきたように思います。

ともかく、そんな形で私とコンピュータのつき合いは1990年代半ばから始まりました。あれから、二十数年。コンピュータは私にとって、自然に接続された第二の身体であり、頭脳であり、そして表現のカンバスであり、また、重要な研究対象になっています。

私がこの本を書くことを決めた理由は、ミレニアル世代とその前の世代のはざまで生きている私だからこそ翻訳できること、見えていることがあるだろうと気づいたからであり、それを共有することは私より若い世代や、若い世代の親御さんにとって意義があると思ったからです。１９９０年代半ばからコンピュータをいじりながら、「映像の世紀」と「魔法の世紀」の間でいろいろなことを考えてきました。映像的なコンテキスト（文脈）で均質化された世界の中でインターネットの向こうを覗きながら、そして均質と逸脱の中にときには少し寂しい思いを抱えながら生きてきたのです。

メディアでは「現代の魔法使い」なんて呼ばれることもありますが、それは、東京大学で博士論文を考えている頃、「魔法」＝ハードウェア[*13]が見えないようにして描かれるようなユーザー体験を物理世界（現実世界）に作りたいなぁと考えていたときに、「魔法を実現する」や「魔法使い」などのフレーズをよく使っていたことに起因しています。

そんなときにホリエモンこと堀江貴文さんが作品のインタビューで研究室に来てくださって、「魔法使い」に「現代の」をつけて記事のタイトルにしてくれたのです。キャッチーなのでからかわれることも多いのですが、わかりやすいし、ハードウェアとしての「魔法」とデジタル社会のブ[*14]ラックボックス化としての「魔法」が象徴的に結びつくので、私自身は気に入ってます。ブラックボックス化している背景技術を理解することを手放した

図1　映像の世紀から魔法の世紀へ

20世紀　**映像の世紀**

テレビ、映画、アニメなど「映像メディア」の中での表現

リアルとバーチャルは区別される

1 to N（マス発信）
1つのコンテンツ×N人の人

21世紀　**魔法の世紀**

映像的な表現が「現実の物理空間」で可能に＝「魔法」

スマホ、パソコン、デジタルサイネージ（街中の電子看板）、バーチャル・リアリティ（メガネ型の端末など）

リアルとバーチャルの境目がなくなる

N to N
N個のコンピュータ×N人の方法

魔術化　入出力して使いこなしているつもりでも、プログラマーが組んだ処理は見えない

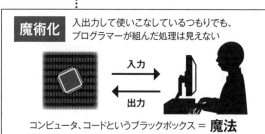

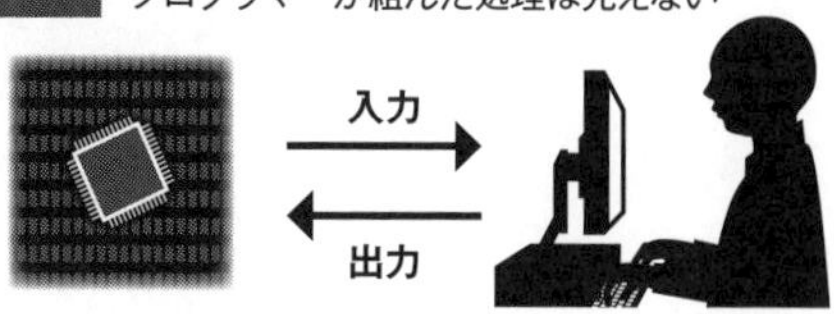

コンピュータ、コードというブラックボックス＝**魔法**

阿部学・敬愛大学講師の資料を参考に作成

現代の諦念を巧妙に表したフレーズでもあると感じました。

デジタル計算機が生まれて80年、均質化していた映像的世界は、ブラックボックス化し、「魔法の世界」に移行しようとしています。コンピュータを見ても中で何が起きているかわかりませんし、インターネットのSNS上では、誰一人として「同じタ[*15]イムライン」を追っていない時代です。「人が」「コンピュータが」と次々に主語が変わる中で、「人間とそれ以外に分ける」という人間中心の昔ながらの二分法では捉えきれないこの世界の中で、これから戦っていく仲間が学び続けるコツのようなものを書いていきたいと思います。

いま世界で、皆と同じようなものを消費する「映像的価値観」は消失しました。これからは一人ひとり違うメディアを使っていいし、コンピュータと人の「N×N」の組み合わせで無限に価値観が広がる「魔法の世紀」なのです。

「魔法化」の功罪

いまの社会にとって「魔法」と人との関係性が何を意味するのか、そしてその中でどうやって生きていくべきなのかは、この本の中で少しずつ話していくことになりますが、それを生むのがコンピュータだと思います。また、２０１５年に出した拙著のタイトルどおり、21世紀は『魔法の世紀』だと私は思っています。コンピュータの発達が、現代の社会を魔法的に変えていってしまった。１９８１年にモリス・バーマンというアメリカの社会批評家が「世界の再魔術化」[16]を指摘したときよりもさらに大きなオーダー[17]で、いま社会の魔術化は進行しています。

コンピュータは度重なるブラックボックス化・ＡＰＩ化によって中身が見えず、仕組みがわからなくなってしまった。ＡＰＩとは、簡単に言えば、アプリのプログラムを簡潔に作れるようにするためのインターフェイスのことで、それがあることによって「なぜそのプログラムが動くのか」が見えにくくなっているのです。また、その逆に高度なコンピュータ技術による好意的な面を考えれば、テクノロジーは現実世界の側に着地し、「魔法のように振る舞う物理空間の制御」を可能にしました。プログラミングとハードウェアを駆使して物理現象をいかに操るかが、「現代の魔法使い」としての私のテーマなのですが、このように魔法という言葉には、良い面と悪い面が常につきまとっているのです。８歳のときに出会ったコンピュータは、当時はギーク[18]な大人の遊び道具で、私にとって高級なオモチャでしたが、社会のコンピュータ化が進み、芸術的な意味や工学的な意味合いなど様々なところで、人生にとって欠かせない存在になりました。

もちろん、コンピュータやインターネットが生活に欠かせないものになっているのは、私だけではないでしょう。ウイルス以後の社会でこの関係性は様変わりしました。

21世紀に入ったあたりから、携帯電話やスマートフォンなどを含めて、[*19]ユビキタス社会のために[*20]インストールされたあらゆる[*21]インフラやその上に展開されたデジタル・カルチャーは人間の生活を大きく変えてきました。それが実感としてわかっていない人は、ほとんどいないだろうと思います。

でも、コンピュータやインターネットが人間や社会をどう変えつつあるのかを、本当の意味で理解している人はあまり多くないような気がします。デジタル・ネイティヴにとっては、どこが[*22]デジタル・インフラでどこがそうでないのかがわかりにくく、私より上の世代にとってはデジタル・インフラやデジタル・カルチャー自体がどういうものなのかわかりにくいと思っているのではないでしょうか。

昔と比較したときに誰もが感じるのは、おそらく「便利になった」あるいは「効率的になった」ということでしょう。たしかに、IT（情報技術）の発達によって、昔はできなかったことがいろいろとできるようになりました。既読スルーという言葉が生まれるなど、日々の文化の変化も実感しているはずです。

たとえば、かつてはいちいち図書館に足を運ばなければできなかったような調べ物も、いまはグーグルの検索ウィンドウにキーワードを入れるだけで済んでしまうことが大半です。情報学は図書館からはじまったと言っても信じられない人もいるかもしれません。スマホがあれば、時刻表や地図を用意しなくてもどこにでも移動できるでしょう。メールやSNSでは、相手が世界中のどこにいてもすぐに連絡を取り合えます。昔よりも「便利」で「効率的」なのは間違いありませんが、そこに残された社会インフラや、まだ変化していない面には何があるのか。IT化が進む社会の中で、人間はただひたすらその利便性を享受し、それが本質だと思っているだけでいいのでしょうか。いつまでもコンピュータは「ただの道具」なのでしょうか？

私は、コンピュータが人間の社会にもたらす変化は、単に「昔より便利になった」とか「生活が楽になった」という次元のものではないと思っています。それはもっと根本的なレベルで、人間の生き方と考え方に変革を迫るはずです。つまり、コンピュータは電気製品ではなく、我々の第二の身体であり、脳であり、そして知的処理を行うもの、たんぱく質の遺伝子を持たない集合型の隣人です。

人は人らしさを自分の中に持つのではなく、対話の中で「人らしいな」と自覚するものだと思います。いま、人はコンピュータと向き合うことで自分を見直す時期に来ました。

2012年以来、ディープラーニングの流行とともに再加速した、機械学習の発展は我々の生活を大きく変えていきました。スマートフォンをはじめとする計算機機能のついたオーディオビジュアル装置の普及に伴い、オンライン上のデータは日々増え続け、それをもとにした画像や音声や文章を扱うための知能化技術が整備されて続けています。

また、人間の創造的な能力はより拡張され、誰もがその力を計算機環境によって利用する素地が整ってきました。それによって、クリエーターのみならず、あらゆる職種業種における個人の能力が拡張され、働き方も生き方も大きく変わりつつあります。2020年以降のウイルスとの戦いの中でも、テレカンファレンスやオンラインコミュニケーションの整備によって、人は確実に物理的なレイヤーから切り離されつつあると言えるでしょう。

もとより、感染症と人の関係性は有史以来、ペストやインフルエンザ、天然痘との戦いの中で変化してきましたが、2020年の危機は我々に国際関係の変化とデジタルへの移行、社会的距離の変化とスマートシティ化への下地を生み出しています。

このような環境の変化に伴う技術的変化や行動変容はある意味で、この世界にとってのブレイクスルーになっていきます。そのようなシステムとカップリングされた人の知的生産能力や処理能力は、いずれ本来の人間を超えるでしょう。やがて人間が関与しなくてもコンピュータがあらゆることを学び、自分で次の世代のコンピュータやプログラム自体を設計し作れるようになることに向けて、多くの研究者が研究を続けています。将来起こるであろう人工知能を用いたシステム改善の圧倒的な進化の前に、人間の進化速度は非常に遅い。人は一世代交代して自らの遺伝構造を書き換えるのに20〜30年の時間を要しますし、情報の伝達と記録も脳から直接出力することができないので、コンピュータと比べるとどうしても進歩の共有が遅くなってしまいます。

「映像の世紀」を生きた親は子どもに見当違いの教育を与えているかもしれない

それがコンピュータと人の作る未来ならば、当然、人間の生き方も変わらなければいけません。とくに若い世代はそうでしょう。いつの時代でも言われることですが、現在の小中学生が社会に出る頃には、現在とはまったく違う世の中が訪れているはずです。現に私が小学生のときと現在の社会態様は、インターネットを含めだいぶ変わりました。しかしながら、入試制度や選挙制度、雇用の仕組み、我々の死生観や幸福観、結婚の仕組みなど、まだ変わっていないものもあります。そしてそれらは聖域ではなく、これから変わっていくのではないかと考えられます。

ところが、彼らに将来の指針を与える立場にある親の世代は、いまコンピュータやインターネットのもたらす技術的変化や文化的変化によって具体的に何が起こるのか、それがどういう意味を持つのかを理解していないのではないでしょうか。そのため多くの親が、子どもに見当違いの工業社会的な教育を与えているような気がします。

もちろん親の世代も、自分たちの若い頃と時代が変わっていること自体は認識しているでしょう。インターネットの発達でグローバル化が進んでいることや、先ほど述べたようにIT化によって利便性が高まったことは誰が見てもわかります。ですから、親の世代も自分たちが受けたのと同じ、均質化され出口が約束された教育で良いと考えているわけではありません。

たとえば、英語教育に熱心な親は大勢いるでしょう。「グローバルな社会で生きていくには、英語ぐらいできないと」と考えて、子どもが小さいうちからバイリンガルにするための教育を行っています。それを求めるのは保護者ばかりではありません。学校での英語教育を求める声は財界などにも多いですし、文部科学省も小学校への英語教育の導入を進めています。

しかし、それが本当に将来のキャリアに役立つのでしょうか。

たしかにグローバル化によって外国人とコミュニケーションする機会は増えましたが、コンピュータの翻訳技術もどんどん向上しています。最近は、ちょっとした仕事上のメールのやり取りなら機械翻訳の進歩で事足りるようになりました。音声の翻訳も含めて、その精度はテクノロジーの進歩によって、短期間のうちに上がるでしょう。

英語については後で詳しくお話ししますが、そういう世界で大事なのは英語力ではありません。たとえばコンピュータが翻訳しやすい論理的な言葉遣いが母語でちゃんとできること、つまりそのような母語の論理的言語能力、考えを明確に伝える能力が高いことのほうが、はるかに重要ではないでしょうか。

もちろん、英語の読み書きや英会話ができるに越したことはないでしょう。でも、それは今後の世界を生きていくための最優先課題ではありません。その前に身につけなければいけない別のスキルのほうが、圧倒的に多いのです。英語はプログラミング言語の一種だと思って、練習して使いこなせるくらいが丁度いい距離感のように私は感じています。

また、子どもにコンピュータ・プログラミングを学ばせる親も増えました。英語教育が社会の「グローバル化」に対する過剰反応だとすれば、こちらは「IT化」を意識しているがゆえの錯覚のようなものです。たぶん、「これからはIT業界に入れば成功できる」という前提で考えているのでしょう。

率直に言って、子どものときから単にプログラミングが書けること自体にはあまり価値はないと個人的には考えています。IT関係の仕事で価値があるのはシステムを作れることです。プログラミングは、自分が論理的に考えたシステムを表現するための手段にすぎません。

ですから、「プログラミングができる」というのは、いわば「算数ができる」ぐらいの話。算数ができれば学校では良い成績が取れるでしょうが、それが何か価値を生むわけではありません。もちろんプログラミングを競うコンテストや、プログラミング言語自体の研究なども行われていることは確かですが、多くの分野にとってプログラミングは道具にすぎず、算数と同じようにツールであり、それ自体が目的化しては意味のないものになってしまいます。

大事なのは、算数を使って何をするかということです。だからそれと同様に、プログラミングができるだけでは意味がない。それよりも重要なのは、やはり自分の考えをロジカルに説明して、システムを作る能力でしょう。

この5年ほど言い続けていることですが、システム的ではないある種の現代における人間的な能力を鍛えなければ、どんなに英語を学んでも、プログラミングを学んでも、シンギュラリティやマルチラリティ以降の世界に通用する人間にはなれないでしょう。それは、

「コンピュータと人間が相互に補完しあってそれ以前の人類を超えていく時代」だからです。お互いにできることを示さねば、どちらかに吸収されてしまうのです。

「人間がやるべきこと」は何か

シンギュラリティと言えるほどの変化はまだ訪れていません。しかし、すでにシステムに取って代わられた人間の仕事はたくさんあります。つまりマルチラリティは始まっているのです。いまの社会では、人間がコンピュータを道具として使うのではなく、システムが人間の「上司」のように振る舞っている場面さえあります。まえがきで触れたウーバー・イーツなどはその一例でしょう。そういう時代に、人間には一体どんな価値があるのか、人間がやるべきことは何か。私自身、まだ明快な答えは出ませんが、将来を生きる若者たちのためにはそういう大きな問題を真剣に考えるべきでしょう。まず、考え続ける体力をつけていくことが必要です。

いわゆる「IT革命」は世界を大きく変えましたが、それに適応するだけでは、もう時代に追いつけません。IT革命と同等かそれ以上のインパクトを持つ世界の変革が、そう遠くない将来に何度もあるはずなのです。そこでは、いまの40〜50代の常識が覆されるのはもちろん、小さい頃からデジタル・カルチャーの中で生きてきた私たちの世代の常識でさえ、おそらく通用しません。ありうる世界の未来イメージは多岐にわたるのです。

「次の世界」に向けて、どんなことを学ぶべきかを考えるのは本当に難しいことです。ただ基本的には、「コンピュータには不得意で、人間がやるべきことは何なのか」を模索することが大事だと言えます。それはおそらく、「新奇性」や「オリジナリティ」を持つ仕事でしょう。少なくとも、処理能力のスピードや正確さで勝負する分野では、人間はシステムに太刀打ちできない。いまの世界で「ホワイトカラー」[*23]が担っているような仕事は、ほとんどシステムが担うことになるかもしれません。それは以前よく、人工知能が職を奪うという恐怖を掻き立てる表現とともに語られましたが、真の課題は、どのようにして人の良いところとシステムの良いところを組み合わせて次の社会に行くのかということだと思います。つまり迎合や和解のために知らなくてはいけない隣人の性質について考えないといけません。コンピュータを用いたシステムとの〝文化交流〟が必要なのです。5年来、言い続けても変わり映えのしない世界に、私は危機感を持っています。

ところが若い世代に向けて書かれたビジネス書や自己啓発書の類《たぐい》を見ると、いまだにそういう世界の変化や、文化についての議論は前提になっていないことが多いように見受けられます。彼らにとってシステムは「道具」という認識にすぎないのでしょう。

そういった本によくある話題、たとえば「情報の整理術」であったり、「名刺交換をしたらこうやって効率よく整理しよう」であったり、そんなことはコンピュータのほうがよほどうまくやってくれます。

たしかに、優秀なビジネスマンになるためには、処理能力の高さや根回し能力などが必要でしょう。しかし、ホワイトカラーのビジネスマンの社会機能的寿命がコンピュータの台頭によって尽きようとしているときに、そのためのスキルを磨いても仕方がないかもしれません。それは銃や大砲の時代が始まっているのに、兵士に剣術の奥義を叩き込んで騎馬戦で戦場に出るようなものでしょう。

それなのに、多くの啓発書は相変わらずホワイトカラー教育を志向しています。で、そういう自己啓発書やSNS上のオピニオンリーダーの言う本質ではなく表面的な部分だけを真に受けた人たちが、いわゆる「意識（だけ）高い系」の大学生になったりする。これは危惧すべきことで、正直、いまの中学生や高校生には、「『意識だけ高い系』にだけはなるな」と思っています。今は自己顕示欲を満たす仕組みだけはたくさんあるからです。本当に意識が高い、「真の意識高い系」になる分にはいいのですが、人間は楽をしたがる生き物なので、頑張ったアピールだけで終わってしまうケースが多い。それはもったいないことです。なぜそうなるかと言えば、いま成功している資本家や上流階層たちは、ルール作りを自分たちの流儀で行おうとするからです。その「自己流のビジネスルール」が書かれたのが、多くの自己啓発書でしょう。実際は、その間に世界のどこかでイノベーションが起こり、業態を一掃していく。その敗北の歴史が我々の国の2000年代でした。本当は敗北しているのに、古くからある「映像の世紀」のビジネススタイルとして、発信者と[*24]フォロワーを分けることで搾取の枠組みを作る。その結果、生まれたのが「意識だけ高い系」だと私は考えています。たくさんの違った常識を自身の中に持つこと。複数のオピニオンリーダーの考え方を並列に持ちながら、自分の人生と比較し、どれとも違った結論に着地できないか、並行して複数のプランを常に考えること、そういう頭脳の体力が大切でしょう。

集合知の一部に取り込まれるな

この5年ほどで、SNSの主体が「意識だけ高い系」になってしまったような気がしています。「意識だけ高い系」という言葉の解釈にもいろいろあるでしょうが、私の見たところ、無駄な自己アピールなどを除くと、その第一の特徴は、本人に何の専門性もないことが挙げられます。もうひとつは、専門性がないがゆえに自慢するものが「フォロワーの数」か「評価されない活動歴」「意味のない頑張り」程度しかないことです。意識だけが高く、そして高い意識を評価されない。彼らはよくベンチャー企業やサークルや学生団体を作り、「ミーティング」や「勉強会」や「イベント」「メディア作り」などと称して仲間と集まるのが好きです。外資系のホワイトカラーやソーシャルビジネスをやっている大人たちと接点のあるタイプも多く、「つながり」の中で仕入れた知識をドヤ顔で吹聴することで、夜な夜な飲み会に行って「自分はすごい」とアピールするのです（ウイルス禍以後、飲み会もなくなったかもしれませんが）。

しかし、そこから出てくる情報には、その人が自分で考えたものが何ひとつありません。

いろいろな知識を広く浅く持っているだけで、専門性も独自性も何もない。これでは、ただの「歩く事例集」です。

その人からしか聞けない話があるなら価値はあるけれど、それがないなら、ウィキペディアや食べログなど、インターネット上の検索サービスのほうがはるかに役に立ちます。あらゆる知識がインターネット上で探せる時代に、「ウィキペディア」や「食べログ」を目指しても、検索すれば見つけられるため、その人に未来はないでしょう。平均顔は美人を作ると言われますが、平均経験人間はウィキペディアの劣化コピーでしかありません。

また、人脈がいくら広くても、インターネットにはかなわないでしょう。「出会い系」を例に挙げるまでもなく、縁もゆかりもない他人同士がキーワードひとつで直結できるのがインターネットです。「顔の広さ」や「持っている名刺の数」なんて、何の価値も生み出しません。ソーシャルメディアの弱い人脈で他人とつながり、そこでエセ社会勉強の成果を披露しているだけの「意識だけ高い系」は、インターネット文化に勝てないのです。

では、意識高くあらゆることに取り組む「真の意識高い系」になっていくにはどうしたらいいのでしょうか。そこで人間に得意なこととシステムに得意なこととの差に着目すると、やるべきことが見えてきます。

人間が持っていて、コンピュータで作られたシステムが持っていないものは何か。

ここでよくある間違った答えは、「根性」「ガッツ」「気合い」といった言葉です。コンピュータは機械だからガッツを出すことはなく、したがって人間のような努力もしないと思われているようですが、そんなことはありません。もちろんシステムは「おっしゃ、やったるで！」「根性入れて働きます！」などと気合いを入れたりはしませんが、そんなことをしなくても電気さえあれば延々といくらでも仕事を続けます。同じことをコツコツと積み重ねることを努力と呼ぶなら、この点でも人間はシステムにかないません。どんな悪条件のブラック企業に入っても、そこで課せられるハードワークに耐えられるのがコンピュータです。そもそも、人間同士の競争においても、ガッツや気合いはアドバンテージにならないでしょう。ちなみに私は、よくうちの研究室の学生にこんなことを言います。

「ガッツはレッドオーシャンだから、そこで勝負しても無駄だよ」

競合相手がいない青い海を「ブルーオーシャン」と呼びますが、レッドオーシャンは血で血を洗うような競争の激しい領域のことです。ガッツがあるのは当然の前提だから、それをアピールしても人材としての市場価値はないという意味です。仕事はストレスなく淡々とこなせて当たり前なのです。

システムに得意なことと人間に得意なことの違いを考えよう

もちろん世の中には、ガッツや気合いもなく、効率化する能力もない人もいるでしょう。そういう人は「システムにできないことで戦う土俵」に上がることすらありません。では、ガッツのない人間は生きていけないかというと、そんなことはない。システムに選択を任せていく方法で生きる道はいくらでもあります。それは生き方の選択の問題で、上下関係ではありません。そのほうが効率的になることもあります。これは同じ社会を生きる者として、勘違いしてはいけないことです。

でも、そうではない生き方をしたいなら、ガッツはレッドオーシャンであり、旧来型の市場で必要だった資質にすぎません。これからはそれを当たり前に持っているとした上で、その人に何ができるのかが問われるのです。

では、システムの効率化の中に取り込まれないために持つべきなのは何でしょうか。それは、システムになくて人間だけにある「モチベーション」です。

システムには「これがやりたい」という動機がありません。目的を与えれば人間には太刀打ちできないスピードと精度でそれを処理しますが、それは「やりたくてやっている」わけではないでしょう。いまのところ、人間社会をどうしたいか、何を実現したいかといったようなモチベーションは、常に人間の側にある。だから、それさえしっかり持ち実装する手法があれば、いまはシステムを「使う」側にいられるのです。

逆に言えば、何かに対する強いモチベーションのない人間は、システムに「使われる」側にしか立てないかもしれません。スマホという小さな道具の中で、アプリを使いこなして便利に生きているつもりでも、それは誰かが作った「魔法」の世界を見ているにすぎないのです。そのような、システムに「使われることによる幸せ」という概念も存在しうると思いますが、私のいまの立場では、コンピュータを使役してシステムを作る側の人間、システムにモチベーションを与える側の、そして、もちろんそこにギグエコノミーや格差への警戒心を持った人間を積極的に育てていきたいと考えています。

先に挙げたモリス・バーマンの語った「世界の再魔術化」の現代、1970年代から続く、魔法的現代社会。たとえば、現金を出さずにモノが買えるのはクレジットカードという「魔法」が作り出した世界で、多くの人は「店舗からクレジット会社が手数料を取って代わりに払う。消費者はクレジット会社に後払いする」という「魔法のカラクリ」がわかっているでしょうが、スマホやコンピュータの進化で、世の中を動かしている「魔法」の仕組みを理解できず、電子マネーも携帯電話も、ただ使っているだけの「魔法をかけられる人」が非常に多くなっています。その中で理路整然とした世界観と、理路整然とした世界だけではない世界観を両立させ、今の価値観を突破していくか考えるには、非合理的なモチベーションが必要でしょう。

モチベーションを持ってコンピュータをツールとして使う「魔法をかける人」になれるか、あるいは「魔法をかけられる人」のままになるのか。そこに大きな違いが生まれるでしょう。

たとえば私は、45ページの図のような物事の判断基準と行動指針を持っています。目の前の課題を解くときに、かかるコストを考えて合理的（理性的）に判断すべきものなのか非合理的（感情的）にどうしてもやりたい種類のものなのか。また、常にそれが原理的なものか、アプリケーション（応用）という話なのか、競合しがちな「人と機械の関係」という大きなところから来ている問題なのかを考えて、どういうバランスで成立しているのか、それがどのステージの議論なのかと問いかけながら物事を見ています。

ＩＴ化される以前の世界は、大したモチベーションがなくても何となく幸せになることができました。会社員にしろ役人にしろ、世の中を変えたいとか、実現したい価値観があるというほどの強いモチベーションを持って働いている人は少ないのではないでしょうか。なかには「この仕事を通じて社会を変えたい」といった動機に突き動かされている人もいるでしょうが、「安定」を求めてその仕事を選んだ人も多いはずです。自分の余暇や家族を大切にすることに対しては積極的でも、仕事はそういう幸福感を得るための必要悪のようなものだと思っている。要するに、「仕方なくやっている」わけです。しかし、そんな仕事がシステムによって居場所をなくす以上、強いモチベーションを持たなければ新しい時代を主体的に生き抜くことはできないと言えるのではないでしょうか。均質的な価値が意味を持たない時代になったのです。

親の世代はいまだに「子どもを良い大学に入れれば、良い企業に就職できて、幸福な人

図2　落合陽一の判断基準と行動指針

■物事の判断基準とする「4つの対立軸」

1 人間に対する思考

人はコンピュータ（機械）である　　人は独立的な存在だ

2 コストに関する思考

合理的なもの（理性）　　非合理的なもの（感情）

3 利己か利他か

利己的　　利他的

4 全体か部分か

マクロ　　ミクロ

■行動指針：「3つのステージ」のどれを議論しているのかを考える

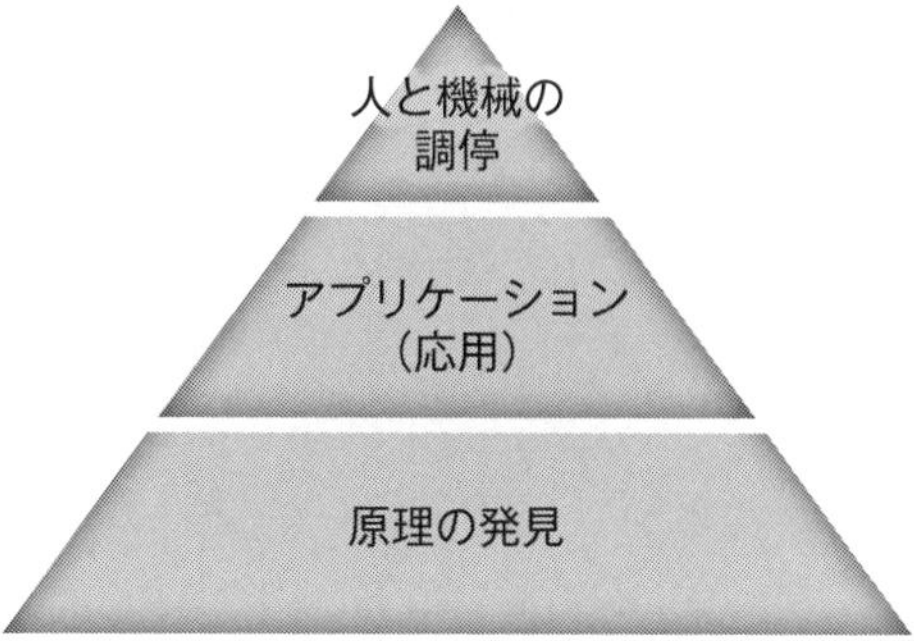

生を送れる」とか「スポーツ選手や芸能人にすることで一攫千金を狙う」などと思っているのかもしれませんが、そんなステータスやブランドに基づく価値はコンピュータの発達によって吹き飛ばされるかもしれません。

だから私はこの本を通じて、いまの世界でコンピュータやそれで作られたシステムが何を起こしているのかを伝え、これから自分のキャリアを選択する中高生、大学生世代（とその親世代）に何らかのモチベーションを与えたいと思っています。それはもしかすると、「魔法をかけられる側」ではなく、良心を持って「魔法をかける側」で生きるための処方箋になるかもしれません。

注

＊3　世間の考え方の枠組み
＊4　皆が同じものの見方をしているという錯覚
＊5　社会や人間の行動を成り立たせるような思想の体系。社会思想
＊6　枠組み
＊7　どこにいても同じような状態

＊8　ソーシャル・ネットワーキング・サービス。Twitter、Facebook、LINEなど

＊9　基幹となるようなサービス。この場合、そもそもSNSなどのサービスが、カリフォルニアイデオロギーを体現する存在であるということ

＊10　コンピュータが育んできた文化・歴史。デジタル・カルチャーともいう

＊11　Common Gateway Interfaceの略。ウェブサーバー上でプログラムがウェブページを生成する仕組み

＊12　任天堂発売の家庭用ゲーム機

＊13　ものとしてのコンピュータの形、機械

＊14　関係性の「見えない化」

＊15　投稿の時系列表示

＊16　工業化社会によってあらゆることがブラックボックス化し、何がどう動いているのかわからなくなったこと

＊17　単位、桁数

＊18　テクノロジー好きの人たち

＊19　いつでもどこでも意識することなくインターネットにつながるような社会

＊20　導入。ソフトなどだけではなく、考え方が導入されるときにも使われる

＊21　生活のための社会基盤。水道、ガスなど。現在はインターネットもインフラのひと

つとされる

＊22　デジタル社会を成り立たせるために必要なもの

＊23　頭脳労働職

＊24　発信者の意見を追いかける人

参考文献

P24　落合陽一、魔法の世紀、Planets, ISBN-13: 978-4905325055, 2015.

P25　落合陽一、魔法の世紀、Planets, ISBN-13: 978-4905325055, 2015.
Morris Berman, The reenchantment of the world.Cornell University Press, ISBN-13: 978-0801492259, 1981.

P28　Yann LeCun, Yoshua Bengio & Geoffrey Hinton, Deep Learning, Nature, 521, 436-444, 2015.

P33　Ray Kurzweil, The Singularity Is Near: When Humans Transcend Biology, Viking Adult, ISBN-13: 978-0670033843, 2005.

P35　Carl Benedikt Frey, Michael A. Osborne, The Future Of Employment: How Susceptible Are Jobs To Computerisation?, September 17, 2013.

第一章

人はやがてロボットとして生きる？

力ずくでなんとかなるものはすべてシステムにやられる

８歳でコンピュータと出会った私ですが、もちろん最初からＩＴが人間の生き方を根本から変えるほどのものだと思っていたわけではありません。世界の中で自分の認識する範囲が狭いうちは、コンピュータはただの生活のインフラの一部で、水道や電気などと同じようなものだと思っていました。

この本の読者もコンピュータというものは単なる電化製品にすぎないと思っている人もいるでしょうし、当然小中学生にとっては、便利なツールであるけれど、それ以上でもそれ以下でもないと感じるに違いありません。でも、おそらくこの世界のことを知れば知るほどに、自分の認識が広がれば広がるほどに、コンピュータというものの特殊な性質がわかってきます。それは、人が努力しながら行っているような単純で辛い作業や、誰がやっても同じ作業はシステムにどんどん取って代わられていくということで、人間は努力の仕方を変えることが求められています。

コンピュータが得意にしているのは「総当たり戦」です。与えられた問題の答えやコンテンツのバリエーションを総当たりで探して、最適解を見つける。「この電話番号を探せ」と命じられたら、分厚い電話帳のページを端から端まで全部サーチして見つけ出すようなものです。いわば単純作業ですが、人間にはできないスピードで淡々とそれをやり続けられるのがコンピュータやそれによってできたシステムです。たとえば円周率の計算も、手作業で行うと、とても時間がかかります。総当たりでガンガン答えを見つけていくコンピュータを使わない理由はないように思います。彼らが音楽や映像を作り出すようになれば、それはたくさんのコンテンツが社会に溢れるでしょう。

インターネットも、人間と人間をつなぐことで「総当たり戦」のできるシステムです。たとえばウィキペディアは、誰でも自由に編集に参加できるシステムを使って、百科事典としての量と精度を複数人の監視によって上げていくプロジェクトです。グーグルの検索も、大勢の人間がそれを使うことによって、より多くの人にとって重要な情報が上位でヒットするようになる仕組み。つまり不特定多数の「集合知」で勝負しているわけです。

その集合知がどれほどの力を発揮できるかが、インターネットにとってひとつの課題でした。しかしながら、インターネットに貯まり続ける情報と、それを基にした機械学習のテクノロジーは、平均的な人間が知りうる知識や、判断基準を超えるような知識量を有しています。

「クラウドソーシング」後の世界の変遷

人と人がつながったコンピュータとは一体、どういうことなのか。一例として、クラウドソーシングの話をしておきましょう。クラウドソーシングとは、「群衆（crowd）」＋「業務委託（sourcing）」という意味。特定の外部業者などに業務を委託する「アウトソーシング」と違い、インターネットを活用して不特定多数の人々に仕事を依頼するスタイルのことです。数年前は、真新しい概念として多くの国内サービスが生まれつつありましたが、現在では国内プラットフォームの「ランサーズ」も「クラウドワークス」も相次いで上場企業になりました。

かつて企業やイベントなどのロゴデザインやウェブサイトの製作は、デザイン事務所やIT企業にとって「おいしい仕事」でした。ロゴとウェブサイトを200万円で丸ごと請け負うようなケースは、十数年ぐらい前まではよく目にしました。発注側は、そういう仕事を引き受けてくれる業者をよく知らないので、口コミなどで紹介してもらったところに頼んでいたのでしょう。料金も、業界の相場などわからないので、相手の言い値を受け入れるしかありません。

ところがクラウドソーシングで発注すると、デザインを勉強している美大や専門学校の学生やフリーランス[25]の人材が、自分のアイディアを何十案も出してきます。クオリティはピンキリですが、なにしろ数が多いので、使えるものもたくさんある。そのひとつを選べば、かつて200万円かかっていたものが、4万〜5万円で済んでしまうのです。もちろん、五輪のロゴを決めたりアップル社のロゴを変えたりという一大事には向いていませんが、マーケティング[26]の上でかっこいいロゴがあれば良い、というケースはかなり多いので、超上流の仕事以外は、コスト破壊が起こるようになってきました。

コストの暴落は、それだけでは済みません。翻訳可能な業務であれば、4万円で受けた仕事を、さらにインドあたりの物価の安い国の労働者に2000円で卸すこともできるようになりました。それで差額3万8000円の仕事になるわけです。いままでは仕事の紹介や信頼や口利きで行ってきたことをプラットフォームがフラットにし、結果として、ギグエコノミー的な問題がクリエイティブの世界にも起こってきました。

オリジナル以外の「もどき」はシステムに負ける

これまでは、「営業に回って仕事を受注する」「見積書を作成する」「クライアントの要望を現場に伝える」といった中間的な仕事をホワイトカラーが担っていました。しかしクラウドソーシングとRPAの組み合わせは、そのプロセスにかかるコストを限りなくゼロに近づけてしまいました。だから、以前は200万円だったものが4万円にまで暴落する。すでに「ホワイトカラーの仕事はシステムに持っていかれる」と書きましたが、これがその具体例のひとつなのです。

これまでは高いギャラをもらっていたデザイナーたちも、4万円でいくらでもアイディアを出す学生や2000円で仕事を引き受ける諸外国の労働者に負けてしまいます。

もちろん、その人にしか作れない本物のオリジナリティを持っているトップランナーは、以前と変わらない地位と報酬を保てているのも事実です。個人の力を強化された著名クリエーターや数百万人のフォロワーを持つインスタグラマーのような人は、他の追随を許さない（要するに「代わりがいない」）ので、そのまま生き残っていくでしょう。

しかし、「もどき」のクリエーターはそうはいきません。これまでは「もどき」でも著名クリエーターに準じる立場でいられたかもしれませんが、これからの時代は「ひとりのオリジナル」以外には大きな価値がない。「もどき」と「4万円で引き受けるクラウドソーシングの大群」の勝負は、後者の圧勝に終わる可能性が高いでしょう。いわば集合知解決による「数の暴力」です。このようなケースを考えればわかるように、システムによって貧困が再生産されていくという特徴があります。逆に言うと、クラウドソーシングの大群側はひとつあたりのコストを抑えて作っていくしかない。もしくはコンピュータを使ったデザインの自動化をする。人間を極力使わずデザインするためにプログラミングするしかありません。この繰り返しが、並列化した人間をやがてはシステムで置き換えていく仕組みです。この変化は現在進行形で起こりつつあり、数年でずいぶん進んだと思います。そして今、コロナ禍に併うテレワークの増加でも同じような置き換えが起こりつつあります。

ちなみにホワイトカラーも、まったく不要になるわけではありません。トップクラスの処理能力を持つ超優秀なホワイトカラーは、システムに置き換えられないでしょう。しかし、それ以外はシステムに代替されるかもしれません。オリジナリティのない「もどき」の集団も、並の処理能力しか持たないホワイトカラーも、システムの無尽蔵の処理能力によって存在価値を根底から失ってしまうのです。

人間がシステムの「下請け」になる

この数年、何度も指摘してきたように、RPAやギグエコノミーなど、今、我々は変革の最中にいます。もちろん、あらゆる仕事がシステムに置き換わるわけではありません。たとえば工事現場の仕事は、少なくとも人間より正確に動くロボットが開発され、ローコストで実用化されるようになるまでは、なくならないでしょう。しかも、そうなってくると賃金はむしろ上がると思います。作業の段取りを組んで指示を出す現場監督的な中間管理職がシステムに置き換わって不要になり、その分の人件費をブルーカラー[*27]に回せるようになるからです。組織のトップで意思決定を行うのは人間のままでしょうが、その下にいるのは現場の労働者だけでいい。いままでその中間で働いていた人たちの仕事はシステムによって補助や効率化できる部分もあります。現場の人たちはみんなヘッドマウントディスプレイのようなものを装着して、そこに表示される、システムが最適化した工程通りに工事を進めれば、きわめて効率よく正確な作業が可能になるでしょう。[*28]

しかしこうなると、現場の労働者は「システムの下請け」のようなものです。コンピュータのプログラムのほうが、人間よりも上位の概念になってしまう。SFのような話ですが、それはもう現実の話になっています。このような分野をクラウドソーシングとか「ヒューマン・ベースド・コンピュテーション」と呼ぶのですが、人を使ってコンピュータ処理の代替をさせようという分野で、いまでも研究が盛んに行われています。

たとえば、米国のアマゾンが行っている「メカニカル・ターク（機械仕掛けのトルコ人）」というサービスをご存じでしょうか。

このネーミングの由来は、ヴォルフガング・フォン・ケンペレンという発明家が1770年にウィーンで作った「ザ・ターク（トルコ人）」という人形です。チェスを指す自動人形で、人間相手に連戦連勝。対戦相手の中には、ナポレオン・ボナパルトやベンジャミン・フランクリンなどの著名人もいました。

その仕組みは大いなる謎で、数十年も解明されなかったのですが、もちろん、当時の技術で人間にチェスで勝てる人工知能など作れるはずがありません。内部には複雑な機械が仕込まれていたものの、それはただのフェイク。実は、中にチェスの強い人間が入って操作していただけでした。

アマゾンの「メカニカル・ターク」は、システムだけでは不可能な仕事を人間に処理させるクラウドソーシングサービスです。「実は人間がやってます」というわけです。写真や動画の識別、重複したデータの除外、データの詳細なリサーチなど、人間の判断力が必要な作業はまだ少なくありません。たとえば膨大な画像の中から公開できないレベルの猥《わい》褻《せつ》なものを識別して削除するといった作業は、いまのところ人間にしかできないでしょう。以前グーグルの人工知能によるタグ付けシステムが黒人男性の写真をゴリラとタグ付けして問題になったことがありますし、たとえば医療用データなどでも間違いが起こったら大変です。そのような万にひとつも間違いが許されない場所では、機械だけでなく人の確認もあったほうが良いこともあります。ただし、そういったことをするには人手も凄まじくかかります。

そこで、人手を必要とする人々（リクエスター）からの要望を受けたアマゾンが、仲介業者としてそのタスクを「ワーカー」に投げるのが、メカニカル・タークというサービスです。もともとは、アマゾンの社内で商品紹介ページの重複を見つけるために開発された仕組みでした。

勘のいい方ならもうわかったでしょう。これはきわめて安い賃金で働く人々の存在を前提としています。猥褻な画像を見つけるタスクなら、クリック1回の賃金は10セント程度。100個の猥褻画像を削除してようやく10ドルになるような仕事ですが、それで生活していける人々が、南半球を中心として世界にはいくらでもいるわけです。

これも、「人間にしかできない仕事」には違いありません。そしておそらく、この類の仕事をどうエンターテインメントにしていくかが今後の課題となっていき、我々は気づかぬうちに楽しく「下請け」をするようになるはずです。

インターフェイスとしての人間

コンピュータよりも人間に向いている仕事は、ほかにもありますが、その棲み分けは2

016年以降、様々な議論がなされてきました。

たとえば銀行のATMや駅の券売機などに不便を感じたことのある人は多いでしょう。相手が人間なら要望を口で言えば対応してもらえるのに、機械の場合は煩雑な操作を自分でしなければなりません。コンピュータでも「できる」と言えばできるのですが、人間にとっていちばん好ましいインターフェイス[*29]は、やはり「人間」の場合も多いのです。人によっては自動化された機械のほうがコミュニケーションをとる必要がなくて楽だと言うかもしれませんが、人間のほうが嬉しいという人も多くいることでしょう。

そのためこれからは、人間が「人工知能のインターフェイス」として働くことが多くなるでしょう。必要な情報は人工知能に与えてもらい、それを顧客に伝えるインターフェイスの部分だけを人間が担当するのです。

たとえば新幹線のチケットなら、「2人分の席はあるが並びの席が空いていないときにどうするか」といった相談事が発生することがよくあります。銀行のATMも、操作がわからず行員が手助けしているシーンが少なくありません。人間が、きめ細かな要望に対応することで、人工知能とユーザーのあいだを橋渡しするインターフェイスとなるわけです。

音声インターフェイスとして普及しているＳｉｒｉが登場したのは２０１１年ですが、当初はそれほど「使える」ものではありませんでした。しかし現在は精度が上がり、自分でタイプして検索するよりＳｉｒｉに聞いたほうが手っ取り早いことが多々あります。数年分のデータを蓄積しただけで、その能力は格段に向上しました。今や音声インターフェイスはあらゆるところで使われていますし、小さい子どもでもＩＴリテラシーの高くない人でも使えるようになってきました。このような自動化によって、人の数が少なくてもずいぶん多くのことをこなせるようになってきました。

たとえば今までに複数の人間が必要だった多くの場面では、インターフェイスとしての人間がいるだけで事足りるようになりました。セルフレジも電子マネーの普及とともにずいぶん発展しましたし、無人コンビニに向けての整備も進んできました。雑務をこなすインターフェイスとしての人間はいまだに必要ですが、そういった労働力としての人間がノウハウや情報を知っている必要は必ずしもなくなりつつあります。カウンターの裏側に行って、簡略化された知的インターフェイスで調べる、もしくはインカムをつけて、そこから音声インターフェイスに聞けばいいのです。そうなるとインターフェイスとしての人間は、システムが提示した答えを「笑顔と柔らかい口調で客に伝える」という役割のほかは、雑務としてシステムにはまだ困難な作業をこなす「システムの一部」になるわけです。子育てインターフェイスとしての人間、デリバリーシステムとしての人間、建築作業用補助システムとしての人間、あらゆるところに人工知能制御の人間が導入されていくことは、社会変化の中で不可逆のことでしょう。

ギグエコノミーの台頭

「Ｕｂｅｒ（ウーバー）」がアメリカでサービスを開始したのは２００９年のこと。そういったヒューマン・コンピュテーション型のタクシーサービスは多くの亜種を生み出しながら10年の時間を歩んできました。２０１６年当時、説明によく用いたこういったサービスでは、ある意味で人間（ドライバー）が人工知能のインターフェイスとして機能していると言えるでしょう。運転し、事故のときは責任をとるための人間です。

ウーバーの利用者は、インターネット上のサイトやスマートフォンの専用アプリを使って現在地や目的地などを入力します。すると、あらかじめ登録しているタクシー会社やドライバーの中からコンピュータが最適なものを選んでくれる。米国ではタクシー会社に所属していない個人が誰でも簡単な登録をするだけでウーバーのドライバーになることができます（日本では「白タク」扱いになるのでまだ認可されていませんが）。料金はアプリで精算できるので、ドライバーが個人でもボッタクリに遭うことはありません。

通常のタクシー会社は、顧客からのリクエストを受けた配車係がオペレーションをします。しかし、ウーバーはそれをシステムが行うので、人件費がかかりません。したがって、乗車料金も安くすることができます。

当然、ドライバーの取り分も通常より多くできるでしょう。アプリからの指示どおりに客を乗せて走り、目的地で降ろすだけで、それなりの収入を得ることができる。やはり、ホワイトカラーがやっているマネジメント業務はシステムに効率化され、その分、運転手のようなブルーカラーの収入は増えるわけです。

似たような事例をもうひとつ紹介しておきましょう。こちらは日本の話。ある大手回転寿司チェーンのやり方です。

もともと、回転寿司ほどメカニカルな方式の飲食店は、世界中を見渡してもほかにありません。機械が食べ物を運んでくれるので、ウエイターやウエイトレスはほとんど不要です。別に注文を受けて運ぶメニューもあるのでホールには「インターフェイス」としての人間が数人いますが、最近は裏の厨房で寿司を握るのもロボットの役目になりました。

しかし、この回転寿司チェーンで自動化されたことはそれだけではありません。

そこでは、各店舗に設置されたカメラやセンサーによって、材料や人員の過不足などの情報が中央に集まります。それによって、たとえばタマゴの余っている店に「あっちの店が不足しているから持って行け」とか、人手の余っている店から足りない店に何人か移動しろといった指令が出る。すると実際に、タマゴを抱えたスタッフが別の店舗に向かうのです。裏で指令を出すのはいまのところ人間なのですが、これも人間がインターフェイスとして、システムの下請けをやっているようなものでしょう。

いずれ、あらゆるファストフード店やファミリーレストランが、これに近いシステムを採用することになるでしょう。どんなに自動化が進んでも、接客するインターフェイスだけは人間が担って笑顔で対応してくれれば、利用者にとってはあまり問題ありません。安心して食事ができるはずです。そしてコロナ以降の社会では、人がインターフェイスとして活用されるかも定かではありません。
ＳＦよりもＳＦのような出来事が、いま紙の上にではなく大地の上に作られているのです。

図3
ヒューマン・コンピュテーション時代の到来

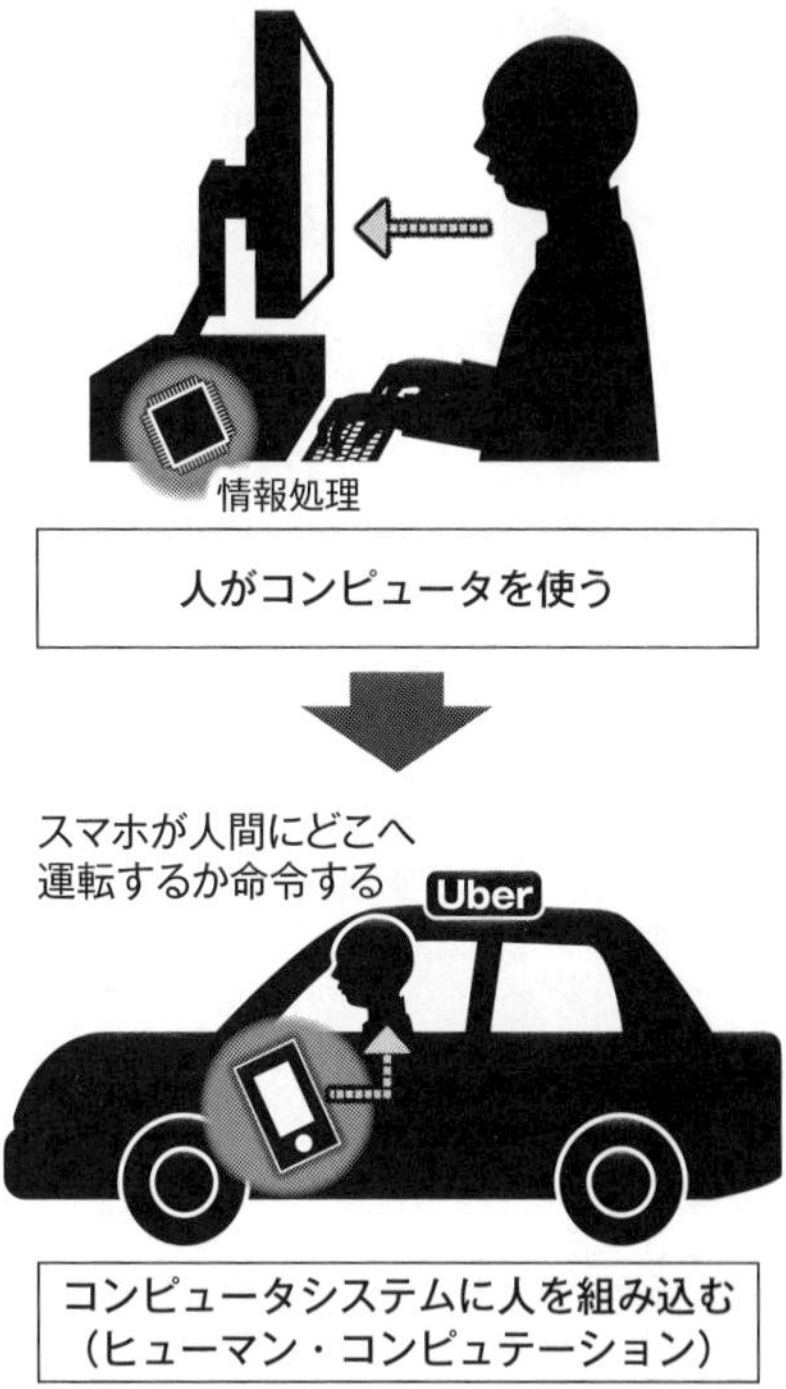
情報処理
人がコンピュータを使う
スマホが人間にどこへ
運転するか命令する
Uber
コンピュータシステムに人を組み込む
（ヒューマン・コンピュテーション）

20世紀以前に平等にならなかったのはインターネットを発明できなかったから?

人間が人工知能のインターフェイスになると言われると、ちょっと悲しい気持ちになる人も多いかもしれません。

でも、指示を出すのが人間だろうとコンピュータだろうと、やっている仕事は同じです。しかも時給は上がるのですから、こうしたシステムと人間の棲み分けは、労働者にとって優しい仕組みだと考えることもできるでしょう。そのことに慣れるのも重要なことです。

これまでブルーカラーの労働者は、その仕事をマネジメントするホワイトカラーの搾取を受けてきたと言うことができます。実質的な価値を生み出しているのは現場のブルーカラーなのに、どういうわけかマネジメントをしている側のほうが高い価値を持っているように見えていました。

でも、それは決して本質的な話ではありません。むしろ錯覚のようなものだと言っていいでしょう。そんな錯覚が生じていたのは、システムによる効率化という概念がなかったから。それだけのことです。

話は少し飛びますが、ひょっとしたら前世紀で共産主義が失敗したのは、そのようなシステムがなかったからかもしれないと、私は若い時によく思っていました。コロナ危機によりスペインでベーシックインカムの支給が宣言された時期がありましたが、デジタル化に併う社会制度の変革はこういった危機の時に明らかになります。

もし「維持コストのかからない管理職」がいれば、労働者に富を平等に分配できるはずです。しかし実際には、マネジメントできるほどのシステムが存在せず、「管理職」としての共産党や役人を食べさせなければいけなかった。そこで富が搾取されるから、労働者は豊かになれなかったわけです。

そう考えると、先ほど紹介したウーバーなどは、ブルーカラーの平等と豊かさを実現するものとも言えます。配車というマネジメント業務を、電気代だけで動いてくれるコンピュータに集約することで、それが成立するのです。

コンピュータの発達によってこうした方式が広まれば、いままでマネジメントという中間的な位置で食べていた人たちの仕事は必要ありません。

ところが日本の大人たちは、そういうホワイトカラーの現状と未来が見えていないような気がします。いまでも多くの親は、我が子が「大企業の社員」になることを望んでいますし、学校教育も専門性を深めるよりも処理能力の高いジェネラリストを育てることを目指しているように思えます。ビジネス書や自己啓発書の「仕事術」や「自分磨きの方法」などを見ても、「どうすれば優秀なジェネラリストとしてのホワイトカラーになれるか」という目的意識がほとんどです。その結果、私のまわりにいる優秀な若者たちも、多くがホワイトカラーとして社会に出て行きます。

しかし、いまの小中学生が将来「コンピュータに駆逐されない自立的な仕事」をできるようになるには、何でも水準以上にこなせるジェネラリストではなく、専門性を持つスペシャリストになることが必要だと私は考えています。

コンピュータは資本主義をどう変えたのか

これからの世界で専門性の高さがなぜ重要になるのかを理解するには、もっと大きな枠組みの話をする必要があるでしょう。この世界を覆っている「資本主義」という枠組みのことです。その性質は、ＩＴ化によって大きく変わりました。ここでは簡単にその説明をしましょう。

ひとことで言うなら、資本主義とは「お金がお金を生むシステム」のこと。それは、富を貯められるようになったときから始まったと言えます。

人間が狩猟採集生活をしていたときは、その日の食糧をその日に手に入れるだけで精一杯なので、富は蓄積できませんでした。でも、農耕が始まると、たとえば麦を貯められるようになります。とはいえ、みんなが同じように貯められるわけではありません。村の権力者のようなところに麦が貯まります。これが、「資本家」の原型です。麦は麦から生まれるので、「持てる者」と「持たざる者」のあいだで貧富の差がどんどん広がります。

やがて麦は貨幣に置き換わり、麦が麦を生むように、お金がお金を生み出す仕組みができあがりました。資本家は労働者や設備や仕入れなどにお金を投資して事業を行い、そこから生まれる利潤を手にします。そのお金を再投資すれば、また利潤が生まれるわけです。

そこで労働者が搾取されていることを批判したのが、『資本論』で有名なカール・マルクスでした。お金がお金を生むシステムが続く以上、資本家階級と労働者階級はいつまでも立場が逆転しません。

ところが１９９０年代に入ると、この資本主義の前提が大きく変わりました。きっかけとなったのは、やはりインターネットの登場です。それまで隔絶していた国や地域を超えて情報がグローバルに行き交う世界になったことで、いわゆるＩＴ企業が資本主義社会の一大勢力として台頭してきました。

情報で商売をするＩＴ企業には、資本主義における従来の企業と根本的に違う特徴がありました。ＩＴ企業には、物理的なリソース（資源）がほとんど必要ないのです。それまでの資本家は、土地や工場や原材料や製品といった物理的なリソースを囲い込むことで利潤を得ていました。それを囲い込むために資本が必要だからこそ、「持たざる者」は労働者階級のままでいなければならなかったのです。

しかし、物理的なリソースを囲い込む必要がないのであれば、そもそも資本が必要ありません。ＩＴ企業に必要な資本はただひとつ、「人間」だけです。

リソースは人間の脳の中にしかない

ＩＴ化は、「革命」と呼んでいいほどの変化を資本主義にもたらしました。

親がお金持ちなら、それを丸ごと相続する子どももお金持ちです。だから、資本家の子は資本家になれました。

一方で、いまの時代のIT企業は物理的なリソースが不要なので、親がお金持ちでも子どもは「能力的な」資本家にはなれません。必要な資本は「能力の高い人間」であって、これは世代間で継承されるのではなく、遺伝子演算と教育の結果で、比較的どこからともなくランダムに湧いてきます。

つまり、「麦」を貯めなくても資本家階級になることができる。

これにより、マルクスが『フランスにおける階級闘争』で考えた「階級闘争」の大前提が、ある部分で崩れ去りました。その意味で、IT革命は「革命」だったわけです。もちろん、社会がすべてITで成り立っているわけではないので、物理的リソースを囲い込む従来の資本家が生きていけなくなることはないでしょう。物理的な資本を持っていれば、食べていくことはできます。

しかしIT化した世界では、そういった固定された物理的リソースで勝負するより、情報で勝負するほうが圧倒的に勝ちやすい。物理的リソースがない分、スピードが早いからです。それに気づいて次々とＩＴ企業を生み出したのが、シリコンバレーの人々でした。

では、お金に取って代わった「能力」という資本は一体どのようなものでしょうか。

我々のまわりにはすでに膨大な情報があり、それだけで十分おなか一杯にできます。でも、もはや栄養のない情報だけでは満足できません。自分にとって価値のある、美味しい肉や野菜のような情報を与え続けないと、人々が満足しない世界になっています。

そして、そのためのリソースは人間の脳みその中、もしくは、いままで育んできた教育の中にしかありません。誰にでも作り出せる情報の中には、価値のあるリソースはない。その人にしかわからない「暗黙知」や「専門知識」にこそリソースとしての値打ちがあります。それをどれだけ資本として取り込むことができるか。ＩＴ世界では、そこが勝負になるのです。

大企業に入ると有利なのか

私はいま、「ＩＴ企業」ではなく「ＩＴ世界」という言葉を使いました。この違いは、とても重要です。

インターネット普及以降のIT化によって、情報産業が急成長したことは誰でもわかるでしょう。そのため、「これからの若い世代はIT企業への就職を目指したほうがいい」と単純に考えている人が少なくないと思います。たとえば自分の子に英語やプログラミングを学ばせるのに熱心な保護者も、それが「IT企業」に入るために必要なスキルだと考えているのではないでしょうか。

しかし、このIT化が起こした革命の本質は、そんな小さなところにはありません。先ほど述べたとおり、資本家に物理的なリソースが必要なくなったことが最大の変化であり、本質です。

それを理解していれば、ただ「IT企業に入社すればいい」という考え方にならないでしょう。それでは、無目的にホワイトカラーを目指すのとあまり変わりません。ここで私が話しているのは、「いかにIT企業に潜り込むか」ではなく「IT世界でいかに生き延びるか」なのです。グーグルのようなIT企業に入ったところで、何の専門性もないホワイトカラーとして働くのでは、やはり絶滅危惧種になるだけでしょう。こうしたことも、再三いろいろなメディアで発信してきましたが、理解していない方が多いように思います。

ただし、「ＩＴ世界」を生き延びる上で、大企業に入るという選択肢がまったくあり得ないというわけではありません。ＩＴ関連でも、物理的リソースが必要な会社はいくらでもあります。たとえば車や家電製品などをＩＴ化しようと思ったら、旧来の意味の資本がなければ何もできないでしょう。

もし自分の専門知識がそこで活かせるのであれば、大企業への就職を避ける理由はありません。その会社で処理能力を求められるだけのホワイトカラーとして働くのでなければ、それはそれで「ＩＴ世界」に適応した生き方だと言えます。

大事なのは、自分の能力を活かすために資本か組織が必要かどうかということ。大企業を選ぶかどうかは、それを見極めた上で判断しなければいけません。旧来の資本主義社会では、資本があることが企業にとっての必要条件でした。だから巨大な資本を持つ大企業に入ることが誰にとっても基本的には有利だったわけですが、いまはそうではない。ＩＴ世界における資本は、企業の成功を約束する価値ではなくなったのです。しかし、そのことに気がついたトップ企業は資本によって人を囲い込むようになりました。高い賃金を払い、さらに旧来の会社との差を広げていく。シリコンバレーで土地や専門職の給与がバブルになりやすい原因のひとつがそれでしょう。

ホワイトカラーに代わる「クリエイティブ・クラス」とは

IT化で資本主義のあり方は激変しましたが、そのいちばん根底にある原理は変わっていません。

それは、「誰も持っていないリソースを独占できる者が勝つ」という原理です。

だから株式を握っている資本家は大金持ちになれるし、アラブの石油王も大金持ちになれる。スポーツや芸能の才能も、そういうリソースのひとつでしょう。誰にも真似のできない技術や表現力を持っている人は、それぞれの分野で大成功します。

しかし、コンピュータが発達したいま、ホワイトカラー的な処理能力は「誰も持っていないリソース」にはなり得ません。

もちろん処理能力が高いほど成功の度合いも高まるでしょうが、その差は全体から見れば誤差の範囲にすぎないでしょう。誰も持っていないリソースを独占している上のクラスとホワイトカラークラスのあいだには、とても大きな差があるのです。

これまでの労働者は、「ホワイトカラー」と「ブルーカラー」の2つのクラスに大別されていました。どちらかというとホワイトカラーのほうが上位に置かれていたわけですが、この区別にはもうあまり意味がないかもしれません。

たとえば米国の社会学者リチャード・フロリダは、それとは別に「クリエイティブ・クラス」という新しい階層が存在すると考えました。

簡単に言えば、これは「創造的専門性を持った知的労働者」のことです。現在の資本主義社会では、このクリエイティブ・クラスがホワイトカラーの上位に位置している。彼らには「知的な独占的リソース」があるので、株式や石油などの物理的な資本を持っていなくても、資本主義社会で大きな成功を収めることができるのです。

また、同じく米国の経済学者であるレスター・C・サローは『知識資本主義』という著書の中で、これからの資本主義は「暗黙知」が重視される世界になると訴えています。「知識資本主義」の社会では知識が資本になるわけですが、それはどんな知識でもいいというわけではありません。誰もが共有できるマニュアルのような「形式知」は、勝つためのリソースにはならない。誰も盗むことのできない知識、すなわち「暗黙知」を持つ者が、それを自らの資本として戦うことができるのです。

フロリダとサローの考えを合わせると、これからは「専門的な暗黙知を持つクリエイティブ・クラスを目指すべきだ」ということになるでしょう。

クリエイティブ・クラスに「ロールモデル」は存在しない

ただ、これは若い人たちにとって、イメージするのが難しいでしょう。なぜなら、クリエイティブ・クラスになるための道筋には「ロールモデル（模範となる人物）」が存在しないからです。

たとえば、アップルの創業者スティーヴ・ジョブズは、間違いなくクリエイティブ・クラスです。しかし、それをロールモデルにして「スティーヴ・ジョブズのようになりたい」といった目標を持っても、あまり意味がないでしょう。唯一無二の存在だからクリエイティブ・クラスなのであって、目指したところで頑張っても「もどき」にしかなれないからです。

「もどき」には、オリジナルな人が持っている暗黙知や、カリスマがありません。見ればわかる形式知の部分だけを表面的になぞることはできても、そこには独自性がない。要するに、「クリエイティブ・クラス」ではないのです。

ところが多くの大人たちは、しばしば子どもたちに成功者の存在を教えて、「この人みたいになりなさい」とロールモデルを提示します。

しかし大事なのは、成功したクリエイティブ・クラスをそのまま目標にすることではなく、その人が「なぜ、いまの時代に価値を持っているのか」を考えることです。

それを考えれば、「誰かみたいになる」ことに大した価値がないことがわかるはず。その「誰か」にだけ価値があるのですから、別のオリジナリティを持った「何者か」を目指すしかありません。「誰か」を目指すのではなく、自分自身の価値を信じられること。自分で自分を肯定して己の価値基準を持つことが大切です。

「勉強」と「研究」の違いを理解できるか

では、クリエイティブ・クラスとして生きていこうと思ったら、現代の若者たちはどんなことを学べばいいのか。結論から先に言うと、いくら勉強しても、それだけではクリエイティブ・クラスにはなれません。

処理能力の高いホワイトカラーを目指せばよかった時代には、受験勉強にもそれなりの意味はありました。受験勉強を通じて身についたスキルが、仕事にも役に立ったからです。与えられた問題を解決するだけの仕事であれば、学校の試験と同じで、いろいろな問題の解き方をたくさん知っていればいるほど、処理能力は高まります。実際、業務を進める上で社内の過去の事例を調べる機会もあると思いますが、過去を踏襲するだけであれば、ただ当てはめていく作業にしかすぎません。

しかし、クリエイティブ・クラスの人間が解決する問題は、他人から与えられるものではありません。彼らの仕事は、まず誰も気づかなかった問題がそこにあることを発見するところから始まります。

それによって生み出されるような仕事は、勉強からは生まれません。勉強は基本的に、誰かが見つけて解決した問題を追体験するようなものだからです。

それは、学校の勉強だけではありません。自己啓発に熱心な人たちがビジネス書で勉強するのも、「自分はこのような問題をこうして解決してきた（だからあなたも同じようにしなさい）」という話です。処理能力を上げたい人にとっては役に立つノウハウですが、そんな勉強からはクリエイティブ・クラスなど育たないでしょう。

もちろん、クリエイティブ・クラスを目指す上で勉強は必要です。でも、それは次のステップへ進むための大前提でしかありません。新しい問題を発見して解決するのは、「勉強」ではなく「研究」です。勉強と研究の違いを知ることは、21世紀をクリエイティブ・クラスとして生きていく上できわめて重要なキーワードだと思います。

理系であれ文系であれ、研究者は誰もやっていないことを探し続けるのが仕事です。研究者になるまでには先人の書いた教科書を読まなければいけませんが、それは「勉強」にすぎません。むしろその教科書を書いた人が、本物の研究者。教科書を読んで勉強するのがホワイトカラーで、自分で教科書を書けるぐらいの専門性を持っているのがクリエイティブ・クラスだと言ってもいいでしょう。

リベラルアーツとメカニカルアーツ

そういう時代になると、大学教育も、学ぶ姿勢も変わらなければいけないでしょう。とくに、いわゆる「リベラルアーツ」を担う教養課程は、現行のままでは未来の世界では役に立ちません。

『魔法の世紀』でも触れましたが、リベラルアーツの語源は、古代ローマにおける「アルテス・リベラレス（自由の技術）」というものです。「アルテス・メカニケー（機械的技術）」と対になる概念で、古代ローマでは「技術」をその二つに区別して考えていました。この「技術」は、現在の日本語における「技術」とは違い、「芸術」も含んだ概念です。実際、アルテス・リベラレスを起源とする「リベラルアーツ」という英語を、明治時代の啓蒙家・西周《にしあまね》は「芸術」と訳しました。一方、アルテス・メカニケーを起源とする「メカニカルアーツ」を訳したのが、日本語の「技術」です。

ただしリベラルアーツは、現代の日本人が「芸術」と聞いて思い浮かべるものと同じではありません。中世以降のヨーロッパでは、文法、論理学、幾何学、天文学、音楽など大学で教える基礎教養のことをリベラルアーツと呼びました。それが現代の大学にも受け継がれて、人文科学、自然科学、社会科学などの教養課程のことを指すようになっているのです。要するに、頭の中でイメージしながら考えていく、もしくは人による観察・解釈を中心とした抽象的な学問のことだと思えばいいでしょう。

それに対して、メカニカルアーツは「手を動かす仕事」のことです。工学や建築学などが、こちらに含まれます。しかし、「メカニカルアーツ」という言葉をあまり見聞きしないことからもわかるように、どちらかというと「リベラルアーツ」のほうが高尚な学問だと見られてきました。

ところが現在は、コンピュータの発達によって、状況が変化しています。コンピュータが、メカニカルアーツのほうを一気に拡張したからです。たとえば、金融工学。もともとは人間が手を動かす分野ですが、コンピュータがそれを拡張したことできわめて複雑なデリバティブ（金融派生商品）などが生み出され、世界を巨額のマネーが飛び交う舞台に変えました。メカニカルアーツがもたらした資本力が、リベラルアーツの影響力をしのぐ力を持つこともあります。

メカニカルアーツとつながるリベラルアーツは価値を持ちますが、メカニカルアーツなしのリベラルアーツは経済市場という観点からは意味がなくなるかもしれません。今の時代には両輪が必要なのです。

システムに「手足」をもがれる仕事

リベラルアーツ＝教養課程は、ジェネラリストのホワイトカラーを育てるには有用な教育でした。しかしこれからは独自の専門性を持つスペシャリストの時代です。その専門性は、システムの側にある。だから、メカニカルアーツを扱う能力を身につけた上で、リベラルアーツを持っている人間にだけ大きな価値があるのです。

コンピュータ以前の時代は、人間がメカニカルアーツを担っていました。同じ人間なら、リベラルアーツのほうが上の立場で、メカニカルアーツを意のままに操ることができました。従来のホワイトカラーとブルーカラーの関係とは、そういうものです。

21世紀初頭の時代、世界を変えるアイディアが重要といわれる時期がありました。アイディアがあれば社会を変えていける、オリジナルなアイディアを育むための人間をどう育てるかと、世間は抽象的な方向に向かい、自分を探すための旅に出る高校生や大学生が増えました。

ところがいまは、コンピュータがメカニカルアーツを牛耳っています。これまで「手を動かす人々」をまさに自分の手足のように使ってきた人々は、いわば手足をもぎ取られたようなものです。抽象的な教養やアイディアだけあっても、何もできません。「実装」と「アイディア」が個人の中で接続されることに価値があるのです。

ですから今後は、これまで価値が低いと見なされていたアルテス・メカニケー＝メカニカルアーツの重要性を再認識し、新たな解釈のもとでリベラルアーツとメカニカルアーツの両方を学ぶことが必要でしょう。一般教養と違って、テクニカルな専門性というのはインターネットをクリックするだけで学習できるようなものではありません。みんながアクセスできる知識に、専門性はないのです。

その当たり前のことを見逃しているのが、「意識だけ高い系」の学生たちかもしれません。彼らの多くは、マス向けのコンテンツを主に消費するにもかかわらず、他人と違う「意識」を持ち、高尚なノウハウを身につけたつもりになっています。

しかしそこで終わっていたら、「Ｂｏｔ以下の人力Ｂｏｔ」のような人間になるだけでしょう。では、そうならないために、いまの若い人たちは何を考えて生きていくべきなのでしょうか。

次の章では、それをもう少し具体的にお話ししていきたいと思います。

注

＊25　特定の組織、会社、団体に所属せず個人で仕事をする人

＊26　消費者が求める商品やサービスを調査するなどして、販売活動の方法を検討・決定すること。広義には市場を広げるための活動を指す

＊27　現業職。現場労働職

＊28　頭部に装着するディスプレイ。ＨＭＤと略される

＊29　もともとコンピュータと周辺機器の接続部分を指すが、ここでは人間とコンピュータを接続（仲介）する役割のこと

参考文献

P57　Alexander J. Quinn and Benjamin B. Bederson, Human computation: a survey and taxonomy of a growing field, In prod of CHI '11, 2011.
Yotam Gingold, Ariel Shamir, Daniel Cohen-Or, Micro Perceptual Human Computation for Visual Tasks, ACM Transactions on Graphics (TOG), 31.5.119, 2012.

S. Vijayanarasimhan and K. Grauman, Large-Scale Live Active Learning: Training Object Detectors with Crawled Data and Crowds, in proc of CVPR 2011, 2011.

Cheng, LP, Lühne, P., Lopes, P., Sterz, C. and Baudisch, P., Haptic Turk: a Motion Platform Based on People. In Proceedings of CHI 2014, pp.3463-3472, 2012.

P68 Thomas L. Friedman, The World Is Flat: A Brief History of the Twenty-first Century, Farrar, Straus and Giroux, ISBN-10: 0374292884, 2005.

P76 Lester C. Thurow, Fortune Favors the Bold: What We Must Do to Build a New and Lasting Global Prosperity, HarperBusiness, ISBN-13: 978-0060750695, 2005.

第二章

いまを戦うために知るべき「時代性」

近代の「脱魔術化」とは何か

ここまで、コンピュータやインターネットが世界を大きく変えようとしていることについてお話ししてきました。それによって人間の生き方も変わらざるを得ないことは、わかっていただけたでしょう。その変化を象徴するのがホワイトカラーの空洞化・無価値化であり、高度な専門性を持つクリエイティブ・クラスの台頭です。

ただし言うまでもないことですが、科学やテクノロジーが世界を変えたのは、これが初めてのことではありません。人類の歴史には、何度もそういうターニングポイントがありました。たとえば火を使ったり、石器を作ったりするようになったのも、そのひとつでしょう。

もちろん、資本主義の基盤を作り、近代の幕を開けた18世紀の産業革命もそうです。その近代に起きた変化のことを、ドイツの社会学者マックス・ウェーバーは『職業としての学問』で「脱魔術化」と呼びました。これは、それまで使われていた魔術が使われなくなったという意味ではありません。ここでの「魔術」とは、「どうしてそうなるのかわからないこと」、つまり民間信仰で信じられてきたような「まじない」のことです。

たとえば、食糧の保存方法について。近代以前に、食糧の保存ができなかったわけではありません。火を使うようになった時点で、生のままだとすぐに腐ってしまう肉などが、焼いたり茹でたりすると長持ちすることを人類は知りました。

しかし、なぜ火を通すと腐らなくなるのかはわかりませんでした。やってみたらそうなったから、「これは便利だ」と続けていただけです。当時の人々には、「炎には食べ物を浄化する神秘的な力があるのだ」としか考えられなかったのです。

つまり、火を使うことで、食べ物が腐らない「魔法」をかけることができるわけです。「なぜそうなるかわからないこと」を、昔はそうやって魔術のようなものだと考えるしかありませんでした。だから病気になったときも、祈祷師や魔術師を呼んで、「まじない」をしたわけです。

火が魔法のようにしか思えなかったのは、そもそも食べ物がなぜ腐るのかがわからなかったからです。その理由を解明したのは、「近代細菌学の開祖」と呼ばれるフランスのルイ・パスツールでした。19世紀にパスツールが細菌を発見したことで、それが物を腐らせる原因であり、食べ物を煮たり焼いたりすると細菌が死ぬので腐らなくなるということを、人類は理解したのです。

近代科学は、それ以外にも多くの謎を解き明かしました。

たとえば磁石の働きなども、昔は魔術的なものに思えたでしょう。離れているのに物体を動かしたり、どこにいても必ず北を指したりするのですから、こんなに不思議なものはありません。でもいまの人類は、電磁気学の知識を駆使して科学的にそれを説明できます。

そういった謎が次々と解明されることで、この世界は「なぜそうなるのか」がわかるようになりました。これが、マックス・ウェーバーの言う「脱魔術化」、皆が何となく知っていた、「理由はわからないけど結果が使えること」＝「まじない」に説明がつく時代の到来です。

21世紀は「再魔術化」の時代

科学技術による「脱魔術化」は、20世紀まで続きました。

ところが、いまになって状況がまた変わりました。逆に「なぜそうなるのかわからないこと」が増えているのです。コンピュータや高度で複雑な社会活動が世界を「再魔術化」しているのが、21世紀だと言えるでしょう。

もちろん、「魔術」のように思えるサービスは、20世紀からありました。

前述のように、現金を使わずになぜクレジットカードで買い物ができるのかというのも「魔術」です。手元に現金がないのに「ローン」を使えば家が買えるのも「魔術」でしょう。そういった「魔術」は、ちょっと勉強した大人にとっては不思議でも何でもありません。したがって、このレベルの話なら誰でも「脱魔術化」が可能です。

ところが21世紀の「魔術」を仕掛けているのは、コンピュータに入っている黒いチップと、ごく一部のクリエイティブな人たちです。だから、「なぜそうなるのか」が本当にわかりません。

たとえば、いまは交通系のＩＣカードでどの会社の路線にも乗車できるし、コンビニで買い物もできます。あのチップに何が入っているのか、ほとんどの人は説明できないし、また外見上も区別がつかないでしょう。たとえば、機械時計なら分解すれば、歯車の並びが力を伝え合って動いているのがわかるでしょう。しかし、我々には電気はもちろん見えませんし、ＩＣの中にどんなプログラムが書き込まれているかは見ることができません。チップの動作はそれをプログラムした人の意向でいかようにも変化します。そうしたブラックボックス化があちらこちらで起こっているのです。

何でも教えてくれるｉＰｈｏｎｅのＳｉｒｉも、実に魔術的です。みんな「ＨｅｙＳｉｒｉ」などと気安く呼んでいますが、一体「彼女」が世界中のどこでどんなふうに調べ物をしているのか、彼女はあなたの個人的なデータをどれだけ持っているのか、そして日々どのくらいのデータを貯め込んでいっているのかなどと考え始めると、ちょっと恐ろしくなるぐらいの謎ではないでしょうか。

そういう謎めいたサービス、人工知能社会のブラックボックスを、多くの人々が当たり前のように享受しているのが21世紀の世界です。

消費者としては、それを単に「便利になった」と喜んで使っていればいいでしょう。なぜそうなっているのかを理解する必要はありません。「魔術」の中身を知らなくても、快適に日常生活を送ることができます。

でも、何らかの製品やサービスを提供する生産者の側としては、それではいけません。

近代以前の「魔術」は、それが「なぜそうなるのか」を誰も知りませんでした。ですから、「火を使うと食べ物が腐らない」というアイディアで特許を取った人はいないし、そのノウハウを使うのに対価もかかりません。誰かが発明したのではなく、同時多発的にみんながそれに気づいてやり始めただけです。

それに対して、現代の「魔術」は誰かが必ずその中身を知っています。「誰も理由がわからないのにうまくいく」ということは、一部の現象論的に記述された工学や、一部の人工知能アルゴリズムなどの例外を除いて滅多にありません。魔術の裏側には必ず「魔術師」や「魔法使い」がいる。それこそが、暗黙知を持つクリエイティブ・クラスなのです。暗黙知を持つクリエイティブ・クラスにとって人工知能環境は、自らの欠点や他人で代替可能なタスクを行ってくれる第二の頭脳であり、身体です。彼らにとっては人工知能は自らの存在を脅かす敵ではなく、自分のことをよく知っている「親友」となるはずです。

コピーのできない「暗黙知」を自分の中に貯めていく

再魔術化した21世紀に、あらゆる「魔術」の裏側を知る必要は、必ずしもないかもしれません。自分の専門ではない分野では、ひとりの消費者として「なぜそうなるのか」を理解しないままその利便性を享受していればいいでしょう。この時代に世の中にあるすべての謎をわかろうとしたら、脳みそや時間がいくらあっても足りないと思います。そこは適宜、コンピュータの補助を受けるべきです。

しかし、ひとつも魔術を知らないようでは「コンピュータの下請け」のような人生しか待っていないかもしれません。それはそれで幸福な生き方ですが、ただ、この本はそこを目指すものではないので、ロールモデルのないオリジナルな価値を持つ人間になろうとするなら、何かの「魔術師」になるのがいちばんです。

そのためには、他人にはコピーのできない暗黙知を自分の中に貯めていくことが大事。いまはインターネットで一瞬にして情報がシェアされ、世界中に拡散していく時代ですが、そういう誰でも知っている情報をたくさん持っていることには何の価値もありません。

ネットの普及度が低く、情報の拡散力も弱かった時代なら、たとえばユーチューブで真っ先に面白い動画を見つける「目利き」にもそれなりに存在意義があったでしょう。それを紹介するだけのテレビ番組を面白がって見る視聴者もかなりいただろうと思います。

でも、もはやネット上で有名になった動画を紹介する番組を面白く感じるのは、ネットにアクセスしないお年寄りぐらいではないでしょうか。普段からネットを使っている人たちは「これ、ずいぶん前に見たことある」と感じることが多いだろうと思います。

多くの情報がそうやってシェアされる時代だからこそ、コピーもシェアもされない暗黙知には大きな価値があります。

それをたくさん貯め込んだ人は、人材としての汎用性も高いでしょう。ひとつの「魔術」が、ひとつの使い途しかないわけではありません。

たとえば私にも自分だけの暗黙知がたくさんあります。ひとつの例として、物体を宙に浮かせたり物を波動で動かしたりするにはどうすればいいか、そしてそういった波動、超音波や光や電波の制御法を三次元空間の様々な場所に適応させていく方法を私は知っています。いまはそれを使って「大学で教える」という仕事や、「メディアアーティスト」という仕事をしています。つまりコンピュータが発達し、私の持っている専門性は様々な分野で利用することが可能になったわけです。

極端な話、明日からトヨタのような大手自動車メーカーで働けと言われても、あるいはソニーやマイクロソフトの研究所で働けと言われても、そういったものを作る専門職としてならすぐにやっていける自信があります。前章で述べたとおり、いまの資本主義社会は物理的リソースではなく「人間」が最大の資本ですから、シェアできない暗黙知の持ち主が大勢いる会社が強い。専門性を絞ったからといって、将来の進路まで絞ることにはなりません。専門性が低く、何でも器用に処理できる浅く広い人材よりも、これからは人材としての価値を評価されるようになるでしょう。

「オンリーワン」で「ナンバーワン」になろう

人が持っていない専門性を身につけること自体は、そんなに難しくありません。早い話、誰もやらないことをやれば「オンリーワン」の存在になれます。まんべんなく点数を取ることが求められる受験勉強は「ナンバーワン」の存在にいちばんの価値がありますが、「魔術師」の世界はそうではない。「オンリーワン」がそのまま「ナンバーワン」になれる可能性があるのです。そして、数年前に比べ「オンリーワン」に舵を切るのが難しくなくなりました。

ただし、その「オンリーワン」がいまの時代に何の価値があるのかを説明するロジックは用意しなければいけません。

たとえば、みんながコンピュータの時代に合わせてデジタルなものを作っているときに、「自分は石器を作る」と言えば、オンリーワンにはなれるでしょう。でも、「なんでいまどき石器なんか作るの？」と聞かれたときに、その意味や価値を合理的に説明できなければ誰にも認めてもらえません。単に「みんなと違う」だけでは、説得力がないのです。

そのようなときにいちばん簡単な説明は、「人間は同じものばかりじゃ飽きるでしょ？」というパターンかもしれません。

たとえば、みんながスイーツのレシピばかり考えて競い合っているときに、「自分は辛いものを作る」という方向性を打ち出せば人とは違ってきます。「なぜ？」と聞かれたら、「だって甘いものばかり食べてると、たまには辛いものを食べたくなるじゃないですか」と答えればいい。さっきの石器も、「電子機器に飽きたら古典的なものが欲しくなるだろう」と言えば、一応の説得力はあります。

ただし、いまはあえて単純な例を挙げましたが、「みんなが甘いものなら辛いもの」「みんながデジタルならアナログ」というロジックは、それ自体が「誰でも思いつくもの」でしょう。ですから、結局は「オンリーワン」にはなれません。ほかの人々も辛いものを作り出すから、「逆張りのレッドオーシャン」に投げ込まれて沈んでしまうのがオチです。その価値を説明するロジックまで含めて、誰にも真似されないオリジナルなものでなければいけません。それは付け焼き刃の思いつきでは成しえません。

暗黙知は拡大再生産される

いずれにしろ、情報がシェアされる時代に自分の価値を高めるには、簡単にはシェアできない、そしてイメージすることのできない暗黙知を自分の中に深く彫り込んでいくしかありません。

それを活かして起業してもいいし、アカデミックな世界を選ぶ道もあります。どちらにしても、「暗黙知の彫り込み」とは広い意味で「研究」のこと（課題を発見し解決すること）なので、やることは基本的に同じです。

そのため、たとえば希少価値の高い研究者がアカデミックな世界からビジネスの世界に飛び出したときは、大きな市場価値を持つでしょう。たとえば深層学習の専門家が少なかった時期には、大学の外にいる彼らをどれだけ抱え込むことができたかで、企業の競争力が決まる時代もありました。[*30]

どんな分野であれ、豊富な暗黙知を持つ研究者が労働マーケットに出てきたら、「魔術師」として欲しがる企業は数多くあります。物理的なリソースではなく、人間を「資本」とする企業にとって、専門性の高い研究者は「再生産ができる企画屋」のような存在です。

これまでも広告代理店のような会社には企画屋的なホワイトカラーがいましたが、彼らのほとんどは企画のクリエイティブそれ自体を「研究」することが難しいので専門性の積み重ねが起こりにくい。誰でもシェアできる情報をあちこちから集めて、次々と新しい企画を打ち出すだけです。

インターネット以前の時代なら、それでも通用しました。しかし、もう、そういう手法から「魔術」は生まれないでしょう。そこには積み重なる仕組みや学び続ける仕組みが醸成されてこなかったからです。

テレビの企画がつまらなくなったという声が出てきたのも、彼らがウィキペディアや食べログやユーチューブを情報ソースにしてしまったからかもしれません。もしくは、グーグル検索で最上位に表示される答えだけで満足しているからかもしれません。それはみんなが同じ興味や問題意識を持っているから上位に来るわけで、そんな情報収集をしていても暗黙知は貯まりません。ユーチューブの面白動画を垂れ流す番組がそうであるように、そこから生まれる企画は、すでにあるものの縮小再生産にしかならないでしょう。時間をかけて作れば面白くなるようなものも、一度先細りが始まると悪循環で時間がかけられず面白くなくなってしまいます。つまり、視聴者層と同じ情報体験をしながら番組を作っても、真新しく面白いものは作れないのです。かつては情報ソースが限られていたので、情報源にアクセスできるテレビ業界の人々が面白いものを作れたのですが、ウェブで検索して出てくる情報を、一般の人と同様の調べ方を行って情報収集するケースでは、その差が作りにくくなっていることでしょう。

それに対して、研究をしている人間は、ふつうに検索すると100番目に出てくるような（だから実質的には誰も見ない）答えを一発で探し当てるキーワードの選び方を知っています。これはもう、ほとんどシェアされることのない暗黙知の世界と言っていいでしょう。あ、何年前の学会で見たアレに近いアイディアだ、とか、いつかの展示会や講演会で○○先生が言ってたやつだ、というように専門知識に専門知識が紐付いて出てきます。

研究を重ねれば重ねるほど、その世界はどんどん深まっていきます。そういう知識からはオリジナルな企画が生まれ、それは次々と拡大再生産される。そういう深い世界を持っているのが、研究できる人間の強みです。

「5つの問い」を自らに投げかけよう

研究というのは、大学や研究所に限りません。大学の研究者にならなくとも、これから自分を作り上げていく若い人たちは、まず自分が何を研究し、どんな暗黙知を貯めていくのかを考えたほうがいいでしょう。「自分が何を研究すべきか」「何の専門家として生きていくのか」をわかっている人間は、それだけで有利なポジションに立つことができます。

では、それをどうやって見つければいいのか。

そのためのサーヴェイ（事前調査）は、進路を決める上できわめて重要です。親や教師から「好きなことを見つけなさい」とか「やりたいことを探しなさい」と言われても、それだけでは漠然としすぎていて、どうしたらいいかわからないでしょう。「好きなこと」「やりたいこと」に価値があるのかどうかもよくわかりません。

それについて私がよく学生たちに言うのは、「その新しい価値がいまの世界にある価値を変えていく理由に、文脈がつくか」「それに対してどれくらい造詣が深いか」が大切だということです。

何やら難しい話のように聞こえるかもしれませんが、そんなことはありません。ここで指摘した「文脈」とはオリジナリティの説明のことで、おおむね次の５つの問いに落とし込むことができます。

・それによって誰が幸せになるのか。
・なぜいま、その問題なのか。なぜ先人たちはそれができなかったのか。
・過去の何を受け継いでそのアイディアに到達したのか。
・どこに行けばそれができるのか。
・実現のためのスキルはほかの人が到達しにくいものか。

この５つにまともに答えられれば、そのテーマには価値があります。これを説明できるということは文脈で語れる＝有用性を言語化できるということであり、他人にも共有可能な価値になる可能性があります。この本で伝えたいのは主にここです。他は読み飛ばしていただいてもいいくらいです。

最初の問いかけは、すぐに理解できるでしょう。誰も幸せにしない、つまりユーザーがいない製品やサービスには何の価値もありません。何らかの表現だとしても誰の心にも響かないものはイマイチでしょう。

では、それによって幸せになる人・心を動かされる人がいるなら、なぜ現在までなかったのか。誰も思いつかなかったのなら、いまそれを思いつく時代性が何かあるはずです。それがないなら、昔は思いついてもできなかった事情があるのでしょう。昔からできたのに誰もやらなかったのだとしたら、それ自体の価値が低いのかもしれません。

また、誰もやったことがないと考えられることでも、過去にまったく類例がないものはほとんどないでしょう。

私が研究しているメディアアートにしても、映画やテレビといった原型はあります。同じ分野にはなくても、まったく関係のないジャンルに似たものがあるかもしれません。人間のやることはすべて歴史の積み重ねの中にありますから、未来を考えるときは過去を振り返ることも大切です。過去に先人たちが失敗していたなら、それがいまなら成功するという理由の説明が必要でしょう。アイディアの再生産性を恐れる必要はありません。いまだからできること、そのできたことによるジャンプが大きければ、元のアイディアがあったとしても、そこから先はオリジナルの世界です。

そしてやりたいことを具体化するには、「どこに行けばできるのか」もある程度は考えておかなければいけません。

前述したように、IT世界においても、物理的リソースが必要な仕事をするなら大企業に入るという選択肢は残っています。人間という資本だけでイケるなら、自ら起業することを選んでもいい。もちろん、大学に残って研究者としてやっていく道もありますし、フリーランスで勝負できるものもあるでしょう。

しかし何をやるにしても、誰でも簡単に到達できるようなスキルで実現できるものでは、オリジナルな「魔法使い」にはなれません。同じことを思いついても、高いスキルが必要な仕事は簡単には追いつかれないでしょう。

日本の1億人ではなく世界の70億人を相手にしよう

専門性の高いクリエイティブ・クラスは必ずしも市場で「独走」できるわけではありません。大きなマーケットで勝負する場合、高いオリジナリティを持つ商品やサービスがそれを独占することは稀で、たいがい競合相手がいます。

逆に言うと、誰も競合相手のいないところで独走しようとすると、小さなマーケットしか得られないということにもなるでしょう。

でも、それに意味がないということはまったくありません。

日本人が日本の国内で勝負するしかなかった時代は、それなりに大きなマーケットのシェアを占めなければ勝負になりませんでした。それは国全体で人口が1億人しかいないので、その中の少数派を狙うニッチ[*31]なビジネスは成り立ちにくかったためです。

グローバル化が進んだ現在は、そんなことはありません。世界には、70億人もの人が暮らしています。だから、少数派にしか受け入れられないアイディアでも、十分に戦うことができるのです。単純に計算すれば、日本の1億人を相手にしていたのでは売り上げが1

00万円にしかならない商品やサービスでも、70億人を相手にすれば7000万円になる可能性があるということです。

その好例をひとつ紹介しましょう。私の友人がやっている「ウナギトラベル」という旅行会社です（http://unagi-travel.com/）。

これは、一般的な旅行会社ではありません。ウナギトラベルが旅行に連れて行くのは、「ぬいぐるみ」です。お客さんから預かったぬいぐるみをカバンに詰め込んで観光地などに行き、そこで記念写真を何枚も撮る。その写真のために、お客さんはお金を払うのです。初めて知ったときは、私も正直、「なんてムチャクチャなビジネスなんだ！」と思いました。自分は行かない「旅行」にお金を払う人がそんなにいるとは思えませんでした。

いや、事実、そんなに多くはいないでしょう。でも、それを喜ぶ人は確実にいる。自分のぬいぐるみが海外旅行をしている写真をフェイスブックにでも載せれば、そのかわいさに山ほど「いいね！」がついて幸せな気分になれます。それに忙しい人や病気などで自ら旅行できない人にとっては、写真を見るだけですごく満たされた気分になるでしょう。

もちろん、そういう人は圧倒的な少数派なので、日本人だけを相手にしてもビジネスは成り立ちません。でも世界の70億人を相手にすれば、大金持ちにはなれないまでも、十分に暮らしていけるくらいの商売にはなってしまうのです。

これは、実に21世紀的なビジネスモデルだと思います。

では、このウナギトラベルは、先ほどの「5つの問い」にどう答えるでしょうか。

まず、「誰が幸せになるのか」は明らかです。ぬいぐるみの持ち主です。

「なぜいま、その問題なのか」も、すでに言いました。デジタル写真とインターネットが普及したこと、そしてフェイスブックなどのSNSで写真を見せてコミュニケーションするのが当たり前になったからです。

では、「なぜ先人たちがそれをできなかったのか」。インターネットとSNS、人々と簡単にコミュニケーションし、他人に自慢できるような仕組みがなかったからです。もし昭和の時代に同じことをやろうとしたら、通信費だけでコストがかかりすぎて失敗したでしょう。しかし現在はインターネットがあるので、そのコストが激減しました。世界に向けて宣伝するのも、きわめて低コストでできます。

「過去の何を受け継いだのか」は、昔からあるごくふつうの旅行代理店。ツアーを企画してお客さんを募集する手法は、それと何も違いません。

ただし、こんなビジネスをやる旅行会社はないので、「どこに行けばできるのか」については自分で起業するしかありません。でも、それこそ物理的なリソースがほとんど要らないので、これはそんなに難しくない。とはいえ、誰でもできることでもありません。このサービスを始めた女性は証券会社出身の方で、経理などもしっかりできます。「実現するためのスキル」は、ほかの人が簡単に身につけられるものではありません。

というわけで、ウナギトラベルは世界を変える理由に完璧に文脈がつきます。だから価値ある「オンリーワン」かつ「ナンバーワン」になれるのです。

このビジネスが面白いのは、利用者がコンテンツではなく、コミュニケーションを求めているところでしょう。自分の分身がどこどこに行ったということを使ってコミュニケーションする。その幸せを買っているとも言えます。このようなコミュニケーション消費という、コンテンツ消費の対になる概念は、近年ＳＮＳの普及に伴い急激にニーズを増していて、そのような時代性の背景も見て取れます。

ウナギトラベルの例は２０１６年に紹介したのですが、２０２０年の今でもツイッターで更新されている様子を見ることができ、ニッチの強さを感じています。

解決したい「小さな問題」を探そう

もうひとつ、これも私に近い分野の人々が関わっている「プロジェクト・ダニエル」という事業があります（https://www.notimpossible.com/projects/project-daniel）。

これは、ＩＴ技術を使っていろいろな医療問題を解決する「Not Impossible Labs」というチームが始めたプロジェクト。もともと彼らはＡＬＳ（筋萎縮性側索硬化症）の患者のために、眼球の動きだけで絵を描ける装置を作っていました。こういう難病の患者に対するサービスの需要も、ひとつの国だけでは少ないのですが、世界を相手にすればそれなりの需要がありますし、そもそも表現やメッセージという意味で強い訴求力があります。

あるとき彼らは、激しい内戦の続くスーダンで、両腕を失ったダニエルという少年と出会いました。そこで始めたのが、３Ｄプリンターを使って義手を作る「プロジェクト・ダニエル」です。企業から支援を受けながら、ロボットハンドの開発者や神経学者などがチームを組んで、プラスチック製の義手をわずか１００ドルで作れるようになりました。

これも、「なぜ先人はできなかったのか」といえば、「安価な3Dプリンターがなかったから」という明快な理由があります。事業そのものは、義手の販売ではなく、企業の宣伝などに使うことで収益が出るようになりました。

このプロジェクトから学んでほしいのは、「小さな問題を解決することがクリエイティブな事業を生む」ということです。こちらも2016年に紹介した取り組みですが、2020年の今もテクノロジーを用いて課題に向き合う姿勢は当時と変わらず、活動されているようです。今はウイルス禍においてテクノロジーを用いて問題と向き合っている様子もSNS上で見て取れます。

だからこそ、まずは問題を発見することが大事になる。問題を見つけられない人は、当然ですが問題のオリジナルな解決法も考えられません。

大人から「好きなことを見つけろ」「やりたいことを探せ」と言われると、「自分は何が好きなんだろう」と自分の内面に目を向ける人が多いでしょう。そこからいわゆる「自分探しの旅」のようなものが始まるわけですが、これは袋小路に行き当たってしまうことが少なくありません。

しかし「自分が解決したいと思う小さな問題を探せ」と言われたら、どうでしょう。意識は外の世界に向かうはずです。そうやって探したときに、なぜか自分には気になって仕方がない問題があれば、それが「好きなこと」「やりたいこと」ではないでしょうか。

解決したい問題は、たとえば「カップ麺にお湯を入れてから3分も待ちたくない」といった身近なことでも全然かまいません。

そう考えると、「そもそもお湯を沸かすのも面倒臭いよね」という話になる。もしこの問題を解決して、フタを開けた瞬間にできあがって湯気が立ちのぼるカップ麺を作ることができたら、まさに「魔法使い」です。

解決したい問題さえ見つかれば、そのための進路も選びやすくなるでしょう。「それはどこに行けばできるのか」というシンプルな問題です。どこに行ってもできないならウナギトラベルのように起業するのがよいでしょうし、大企業でなければ解決できない問題なら、そこを目指せばいいのです。

たとえばビッグデータを扱うことでしか解決できない問題であれば、グーグルやアマゾンのような膨大な顧客データを持つ企業に就職するしかありません。高い給料や安定した生活を求めてではなく、解決したい明確な問題があって、大企業を選ぶなら、「魔法使い」になることは十分に可能なのです。

解決したい問題を発見し、「5つの問い」に答える形でそこに文脈をつけることができれば、その時点で問題の70％ぐらいは解けていると思っていいでしょう。それぐらい、文脈をつけることができること＝価値を言語化できることは大事です。筋書きの不明確な仕事は、まず成功しません。

ですから成功した企画を真似する場合も、その背後にある文脈を正しく読み取る必要があります。そこを読み間違えると、見当違いのところを真似することになりかねません。

この数年間で、マスメディアには存在できないほどニッチなコンテンツを提供するような人々でも、ブログサービスや動画配信やオンラインサロンなど多角的なコンテンツの収益モデルによって、生活できるようになってきました。また、D2C（Direct to Consumer）と呼ばれる通信販売のモデルによって、農家や伝統工芸品など、多くの産業の流通方法も変わってきました。それにより、コンテンツを選ぶ側も買う側も意識せずとも選べるようになってきました。

このようなコンテンツを取りまく環境の中で、データによる最適性がコンテンツそのものよりも重要になっていく。いままでプラットフォームの中のヒーローを見続けてきた若者が、プラットフォーマー（プラットフォームを作る人）に憧れる時代に突入してきましたが、いまだ多くの子どもたちはプラットフォームの中のスターに憧れているのも事実です。

いまのコンピュータで何が解決できるかを考えよう

いくつかの実例を挙げてきましたが、それを見ればわかるとおり、いまは新しい問題解決の文脈の中に必ずと言っていいほど「コンピュータ」や「インターネット」という要素が入ってきます。「なぜ、いまそれなのか」「先人はなぜできなかったのか」という問いに対しては、ほとんどそれが答えになる。その意味では、IT化によって文脈を考えやすい時代になったと言えるでしょう。

したがって、問題を探すときには、コンピュータがあることによって何が解決できるかを考えてみるのもひとつの方法です。それは、まだまだ山ほどあるはずです。おそらく、

2030年代ぐらいの近未来の若者たちは、2020年という過去を羨ましがるに違いありません。

「10年前は、まだコンピュータで解決されていない問題があったからいいよなぁ」というわけです。これはどんな分野にもあることでしょう。音楽や美術の世界でも、いろいろなアイディアを先人がやり尽くした後に生まれた世代は、新しいものを作るのに苦労するものです。

とはいえ、人類の文明はどんどん進歩しているわけですから、どの時代も過去と比べれば新しいものを作るのが難しく感じられるものでしょう。

いまから30年前の時代なら、コンピュータを作るだけで勝つことができました。15年前なら、インターネットを使うようなコンテンツを作れば(いまから見ればロクでもないものでさえ)何でも売れたものです。それぞれ、「なぜ、いまそれなのか」という文脈をつけることができたから、うまくいった。当然ですが、「なぜ、いま」への答えは時代によって変わるのです。30年後にはまた新たな変革が起きて、いまの時代には解決できない問題が解決できるようになっているでしょう。

ですから若い世代は、いま自分がどんな時代に生きているのかを過去と比較して知ることも大事です。昔は何ができなくて、いまは何ができるのかを知らなければ、解決すべき問題を発見することも、そこに文脈をつけることもできません。生まれたときからパソコンもインターネットもスマートフォンもあると、「昔は何ができなかったのか」を直観的には理解しにくいものですが、それがわからないと、20年後、30年後にまた別の時代が訪れることも想像できないのです。

また、とりあえず走り出すことも、ときに重要です。文脈を探して訳知り顔で社会を批評しても、実際に動かないと出遅れてしまう。つまり、実際に手を動かすことで常に学び続けることができるのが、インターネット以後のクリエイティブ・クラスの仕事です。

「デジタル・ネイティヴ」ではなく「デジタルネイチャー」を生きる

だから私は、よく見聞きする「デジタル・ネイティヴ」という言葉が好きではありません。生まれながらにしてデジタル・カルチャーを当たり前のものとして享受している人間には、そこで解決すべき問題が何なのかが見えにくい可能性がある。デジタルな世界にネイティヴな人間は、デジタルがここまで普及していなかった世界にネイティヴではないからです。

英語のネイティヴ・スピーカーには英語の構造的問題点がわかりにくいのと同じように、「デジタル・ネイティヴ」という人の区分けで語られる考え方でいうデジタル・ネイティヴは非デジタル社会との比較ができないので、問題発見の幅が狭くなってしまいがちです。デジタル世界だけで完結していたのでは、問題が縮小再生産されてしまうのです。スマートフォンは道具の完成形じゃありませんし、生活の中でのインターネットはまだ進歩していくべきです。そうしたとき、いまある環境インフラを制約条件として捉えてしまうのはマイナスにしかなりません。

デジタル・ネイティヴという言葉に対して私がよく使うのは、「デジタルネイチャー」という言葉です。

もはやコンピュータやインターネットのある環境が人間にとって「自然」になりつつあることは間違いありません。その「自然環境」を客観的に観察し、人間全体とコンピュータの織りなす自然がどうすれば最適になれるのかを考える。「コンピュータと対峙する様々な状況」を考えることで、人間や物理世界や環境などのあらゆるものを統一的に考えていけるのが、現代です。

「デジタルネイチャー」という着想に至る以前、私は「人間とコンピュータはどちらがミトコンドリアなのか」という疑問を抱いてきました。もちろん、ここで言っている「ミトコンドリア」は比喩です。人間を含めてほとんどの真核生物（身体を構成する細胞の中に細胞核のある生物）は、細胞の中にミトコンドリアという器官を持っています。これは、もともと独立した生物でした。地球上に真核生物が登場したとき、そのミトコンドリアを飲み込んで自分たちの一部にしてしまったのです。ミトコンドリアの遺伝子は生き続けていますが、いまの「彼ら」におそらく意思はありません。行動の主導権を握っているのは、それを体内に持つ生物のほうです。

では、人間とコンピュータはどちらがどちらを飲み込むのか。多くの人は、コンピュータを作った自分たち人間のほうが上位種だと思うでしょう。でも私の直観では、コンピュータのほうが後発で、より情報処理に最適化された種のように思うのです。

コンピュータが登場するまで、地球上で自ら知的な環境、システムを構築できる存在は、知的生命体の中でも文明を持つ人間だけでした。

しかし、ディープラーニングの登場によって、人工知能が人間を超える瞬間＝「シンギュラリティ」や「マルチラリティ」が近い未来に訪れる可能性が高まっています。そういった技術革新が起これば、いまある人間社会の仕事は順次変化を遂げていくでしょうし、コンピュータ作りでさえもコンピュータによって行われるようになります。人間と同様、人工知能が自ら環境を作り出すのです。計算の速さや保存性の良さ（コンピュータはインターネットという保存装置に接続されているため、個別の人間よりデータ保存性が良いでしょう）などの点で、人間はコンピュータに生産力でかなわなくなっていくでしょう。

現在のコンピュータが苦手なのは「移動」や「身体動作」ですが、人間にくっついていれば世界中どこにでも連れて行ってもらえます。そのとき、「ミトコンドリア」はどちらなのか。考え抜いたけれど、結論が出なかったのです。

いまのところは人間がスマートフォンを飲み込んで好き勝手に使っているように見えますが、その関係はいずれ逆転するでしょう。我々がミトコンドリアをうまく使って生きているのと同じように、コンピュータが「単純作業を任せるのにかなり性能がいいから」と

図4 デジタルネイチャー時代の自然観

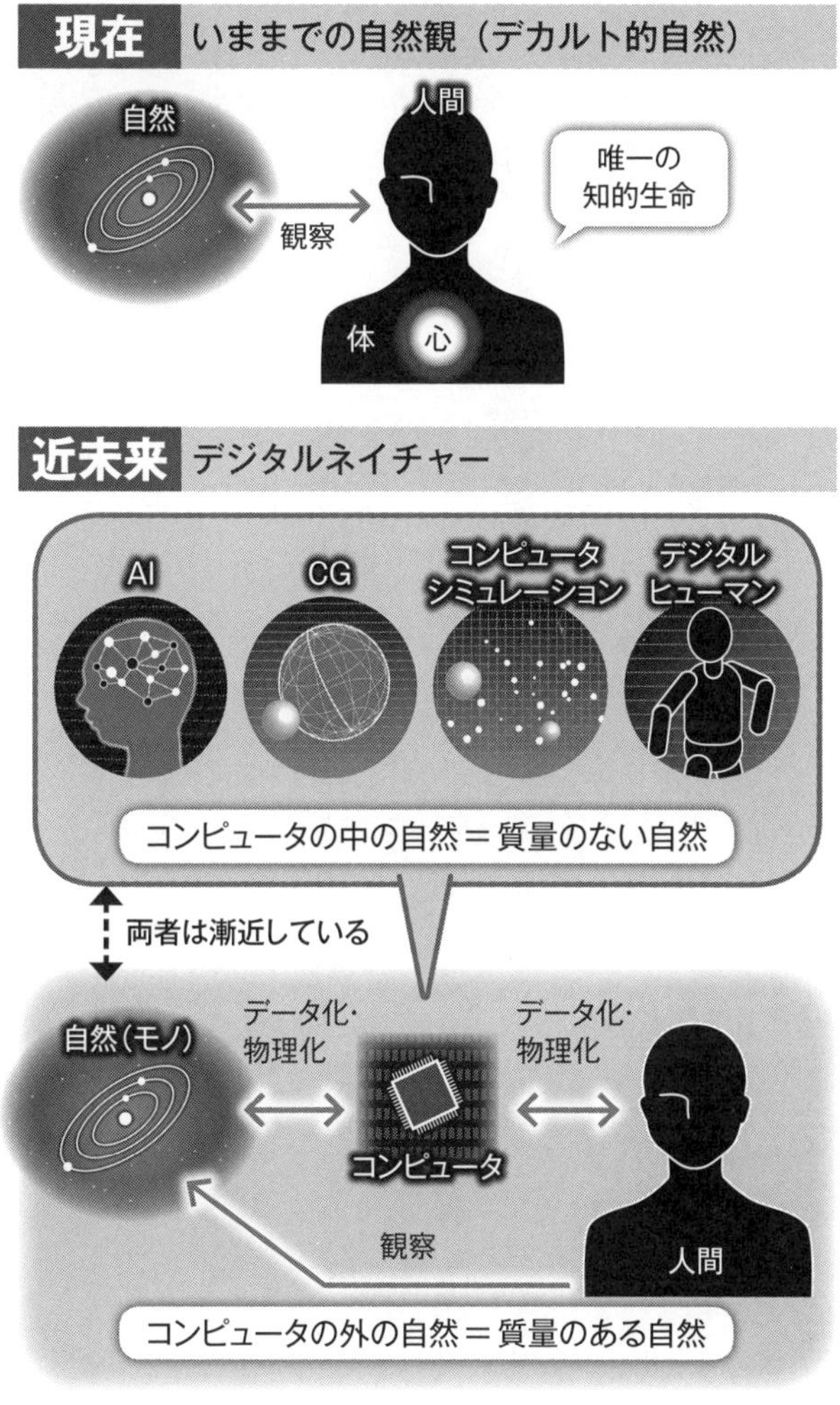

人間をうまく使って活動するようになるわけです。しかしながら、コンピュータが「人間の動かし方」を変えれば、人間も人間社会の形を変えていく。そこで新しいアイディアやその社会に適応した「実装」を行っていくのだと思います。人とコンピュータはそのように互いでひとつの社会を形成することによって、どちらが上位かという問題設定を超越していくことでしょう。

コンピュータがあらゆることを記述していく、人は精神や心を持つ特別な存在ではなく、身体を持つコンピュータとして受け入れられていくことによって、いままでの自然観（いわばデカルト的自然観）が崩れていく。唯一の知的生命としての人間が世界を解き明かしていくような世界観から、物質、精神、身体、波動、あらゆるものをコンピュータの視座で統一的に記述していくような計算機的自然観がデジタルネイチャーです。

そういった「自然環境」の中で、何かの価値を作り続けていく知的生産する側でいたければ、何とかしてコンピュータのもたらすプラットフォームから自らを差別化する手段を考える必要があります。しかし「デジタル・ネイティヴ」であるだけに甘んじてしまったら、その範囲が狭まっていってしまう。コンピュータのもたらすプラットフォームに飲み込まれてロボットのように使われることになってしまうのです。

しかもロボットの側も急激に進化しています。２０１６年に公開された米ボストン・ダイナミクス社のアトラスというロボットの新バージョンは、機械学習を駆使し、人間の自然な身体活動を実現しました。我々の身体すらプラットフォームの一部になる可能性があるのです。

このようにコンピュータとインターネットの枠組みでは常にプラットフォーム化という圧力が働きます。このプラットフォームというものについてもう少し考えてみましょう。

プラットフォームを抜け出る「思考体力」を備えよう

『マトリックス』という有名な映画があります。

あの作品では、まさに人間がコンピュータに支配され、発電機として使われる社会が描かれていました。人間はコンピュータの動力源となりながら、そうとは知らず脳の中でバーチャルな夢を見ているだけ、という設定です。

私の考える「デジタルネイチャー」の世界も、それと枠組みの上では大差ありません。

コンピュータが力を持つ社会が経済合理性を突き詰めていけば、人間の介在する余地はどんどん減っていきます。つまり人間の個性はプラットフォームに吸収されていくのです。しかしながら、我々はバーチャルな夢を見るわけではありません。コンピュータと人の共進化によって、いままでにできなかった問題を解決し、知性が物理空間に及ぶ範囲をプラットフォームの外に、拡充し続けていくのです。*32

プラットフォームを形成するものは、コンピュータと結びついたコスト合理性とコモディティ化の波です。実際、いままでの社会でもそのような経済的な合理性は人間の生活スタイルを変えてきました。たとえば、地方都市によくある巨大ショッピングモール。みんなが車で移動するようになると、「そこに行けばすべてがある」ようなショッピングモールがひとつあるほうが、あちこちに小さな商店街があるよりも合理的になります。

その結果、いまや地方では生活のすべてがそこで完結してしまうまでになってきました。そこには赤ん坊の粉ミルクから老人の介護用品までそろっているし、映画館やゲームセンターなどの娯楽施設もある。子どもたちも、若いカップルも、家族連れも、高齢者も、いつもそこで過ごせるわけです。

いずれ、そこで出会い、そこで結婚式を挙げ、そこで子どもを産み、そこで死んでいくというライフサイクルが当たり前になるかもしれません。

私自身は、そういう暮らしが悪いとは思いません。ローコストで何も不自由のない生活ができるのですから、ある意味では幸福でしょう。

ただしこれから訪れるのは、それがコンピュータプラットフォームによって全世界的に訪れる社会です。『マトリックス』の世界ほど極端な形ではなくても、コンピュータの作るバーチャルな代替物で人々が幸福感を得て満足するような面は多少なりとも出てくるでしょう。たとえば、グーグルがカードボードというダンボール製のヘッドマウントディスプレイを生産しはじめたとき、「そうか、バーチャル・リアリティというのは超体験をもたらす文明の先進性の証明であるとともに、貧者にとっては、満たされない現実の代替でもあるのか」と思いました。シリコンバレーの富豪的バーチャル・リアリティ、たとえば空中に絵を描き、あらゆる体験をみずみずしく、さらに充実したリアルを拡充する方向の技術だけでなく、どうしようもない現実を払い下げのスマートフォンと単レンズ2枚の装着されたダンボールで代替し夢に浸るための技術が存在する。それは、コンピュータと結びついた資本主義の中でさらにその技術格差を広げていくように思えます。

クリエイティブ・クラスになるのは、その潮流から脱するための数少ない方法のひとつです。

そのために必要なのは、「デジタル・ネイティヴ」としてコンピュータの使い方に習熟することではありません。コンピュータの使い方を覚えるのではなく、「コンピュータとは何か」「プラットフォームとは何か」を考え、自分が何を解決するか、プラットフォームの外側に出る方法を考えに考えて考え抜くことが大切です。その「思考体力」を持つことが若い世代にとって重要になるでしょう。

コンピュータやインターネットの使い方に習熟している人なら、いまでも大勢います。プラットフォームに飲み込まれた人々も、その存在を意識しないままスマートフォンやフェイスブックのようなSNSを華麗に使いこなしています。でも、彼らは自分の頭で考えを深めることをしません。ウィキペディア的な形式知が頭の中に蓄積されるだけです。暗黙知がないので、そこからは新しい価値が何も生まれません。

それに対して、クリエイティブ・クラスになるような人たちは常に自分の問題について

図5　プラットフォームは多くの人間を飲み込む

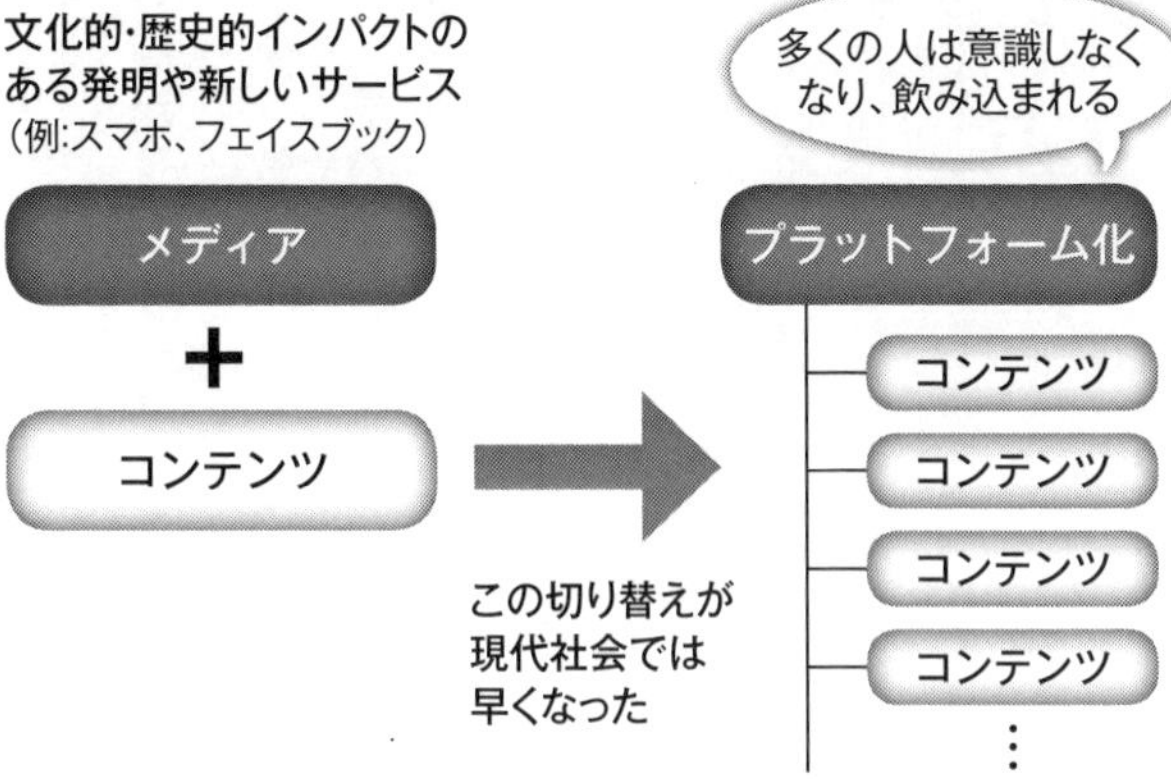
文化的・歴史的インパクトのある発明や新しいサービス
（例：スマホ、フェイスブック）
メディア
＋
コンテンツ
この切り替えが現代社会では早くなった
多くの人は意識しなくなり、飲み込まれる
プラットフォーム化
コンテンツ
コンテンツ
コンテンツ
コンテンツ

考えています。一点を考え抜いて深めていくので、彼らの中には暗黙知がどんどん蓄積されます。そうしたクリエイティブな人たちが生み出す物やサービスが、ショッピングモール的世界で暮らす人々が享受する幸福感のタネになるのです。

宗教は人類の生み出した最初のバーチャル・リアリティ（VR）だったのかもしれません。そしていまは、目に映るすべてが「貧者のVR」として振る舞うようなプラットフォーム化の世界です。口承伝達が人に極楽をイメージさせたように、ダンボール製のヘッドマウントディスプレイとスマホは、人の幸福の定義を変え、世界のあちこちに貧者のV

Rを生み出しているのかもしれません。

自分なりのコンテクストを考えよう

思考体力を身につけるには、他人と情報交換ばかりしていても意味がありません。たとえば打ち合わせは、基本的に各自が考えてきたことを提示して取捨選択する場なので、あまり頭を使わないはずなのです。そこで時間をすり潰すことによって均一化されたアイディアを生み出すことと時間の浪費を行うのは非効率的でしょう。

本当に頭を使うのは、ミーティングに出すネタを考えるときです。ところが思考体力がない人は、よその打ち合わせやSNSやビジネス書などで仕入れたネタを右から左に流すだけ。それでは思考体力はつかないし、暗黙知が深まるはずもありません。

ですから、ネットや他人から得た情報を鵜呑みにするのではなく、あらためて自分で考える習慣をつけることが、思考体力を高めるための第一歩でしょう。たとえば何か疑問を持ってグーグルで検索したときに、ウィキペディアや「ヤフー！知恵袋」のようなページですぐ「答え」が出てきたら、その答えを知って満足する以前に、自分が抱いた疑問自体を反省しなければいけません。

なぜか。ウィキペディアに答えが書いてある問いが浮かんだということは、その疑問の持ち方そのものにオリジナリティがない証拠だからです。何を調べてもウィキペディアや「ヤフー！知恵袋」で解決してしまうようでは、クリエイティブ・クラスにはなれないでしょう。また、ネットで知った知識をそのまま人に話しているようではダメ。思考体力の基本は「解釈力」です。知識を他の知識とひたすら結びつけておくことが重要です。

したがって大事なのは、検索で知った答えを自分なりに解釈して、そこに書かれていない深いストーリーを語ることができるかどうか。自分の人生とその答えはどうやって接続されていくのか。それを考えることで思考が深まり、形式知が暗黙知になっていくのです。

そういった能力は、考えたことの意味を「言葉や実装で説明する」努力をすることで養われます。私の東京大学大学院時代の指導教官である暦本純一先生（スマホなどで使われているマルチタッチのアイディアを世界で最初に作った人です）も「言語化は最高の思考ツールだ」と言っていました。

私も大学で授業をしたり外部で講演をしたりしている中で、質問が出ない場合によく、このようなことを言います。

「今の話の中で、あなたの専門と重ねたとき面白いことが起こりそうなことは何?」

「このような考え方を、あなたの専門分野で行ったらどういう発想が出てきそう?」

常に自分の仕事と関連させたらどんなことができるのかという観点で聞けば、では具体的にどうしようとか、もう少し突っ込んだ話が聞きたいといった質問が出てくるからです。

これは思考体力のない人の例ですが、たとえば有名な現代芸術家のことを「時代を代表する作家だ」と評価する人に対して、「どういう意味で代表するの?」と聞いたとき、ウィキペディアで得たような知識を訳知り顔で披露するだけの人は、まず何も答えられないでしょう。なかには「オークションで史上最高額で落札された」などと答える人もいるでしょうが、それもウィキペディアのような「表面的知識」にすぎず、ただのタグ付けにすぎません。

そういう人は得た知識の「意味」を考えたことがないので、さらに「落札額が高いとなぜ時代を代表する存在と言えるの?」と突っ込むと、「いや、だって、それぐらい有名だってことでしょ」とか「いちばん人気があるんだから時代の代表」といった曖昧な答えしか返ってこない。その人物が美術史の中でどのような功績を残し、その才能が具体的にどのように偉大だったのかという本質的な議論にはなかなかならないのです。

それを掘り下げて考えられるようになるためには、抽象的なことをできるだけ具体的に言語化する習慣をつけるといいでしょう。

たとえば私は、「なぜ高く評価されるのか」という問いに対して、学生が「カッコイイから」などと答えたら、「それ、カッコイイだけで片づけていたらダメだよ?」と言って、「カッコイイ」を言語化させるような質問を次々と重ねます。

ではほかに「カッコイイ」と思う現代芸術家はいないのか?

いるとしたらその人物との共通点と相違点は何か?

もし問いに出た現代芸術家だけがカッコイイとしたらほかの芸術家と何が違うのか?

その人物以外でカッコイイと思う表現者は誰か?

そのカッコ良さとこの芸術家のカッコ良さは同じなのか違うのか?

……といった具合です。こうした問題をきちんと言語化して説明するには、基礎知識はもちろんのこと、様々な知識と連結させながら猛烈に頭を使って考えなければいけません。

当然、グーグルで検索しても答えは出てこないでしょう。

ただしヒントになる情報は、ネットや本から仕入れられるかもしれない。そこから自分の考えをまとめ上げ、メッセージとして伝えられるようになるエネルギーを持っているのが、「思考体力のある人間」です。

私が思うに思考体力のある人間は常にマジです。そういった人は自分の人生の問いについて24時間、365日考え続けています。

思考体力は子ども時代から培われる

もし小さい子どもにそういう思考体力を身につけさせたいなら、周囲の大人がいろいろな問題について「言語化」を促すのが効果的でしょう。

それには、まず子どもの発言に適当に相槌を打つのではなく、「ちゃんと聞いてあげる」ことが大切です。幼稚園から帰ってきた子どもが「今日は楽しかったよ!」などと言ったときに、「それはよかったね」「明日もきっと楽しいね」だけで受け流すのではなく、今日は何が楽しかったのか、いつもとは違う面白さがあったのか、それを楽しんだ子はほかにもいたのか……などと聞いていく。そうやって、「楽しかった」という抽象的な感覚を言語化するために質問を重ね、ブレイクダウンしてあげるのです。

もっとも、こういうブレイクダウンは聞く側にもそれなりに思考体力がないとできません。日頃から意識することが重要です。話題は共通の趣味でもいいし、社会問題でもいいでしょう。たとえば何かの時事問題がＳＮＳで飛び交っているとして、

「あの政治判断は間違いだよな」

「けしからん話ですなぁ」

そんなやりとりだけで終わったのでは、何の実りもありません。ならば「政治判断」とは何なのか、どんな対策が正しいと考えるのか、そもそもその判断の根拠になるデータや統計や予測はあるのか……といった具合に問題をブレイクダウンしていけばいい。そうすることで、意義のある会話になるのです。

ところが思考体力のない人は、たいがいの話題を「どうしたらいいんですかねぇ」「まぁ、いろいろありますよねぇ」といった言葉で終わらせてしまう。親がそのような聞き方しかしないようだと、子どもの思考体力は高まりません。

たとえば子どもが「サッカーをやりたい」「ピアノを習いたい」などと言い出したとき、思考体力のない親は「ＯＫ」か「ＮＧ」のどちらかしか答えないでしょう。しかし、ふだんから物事を掘り下げて考える習慣のある親は、子どもに「なぜそれをやりたいのか」を聞きます。すると子どもは、それをちゃんと説明しないとＯＫしてもらえないことに気づく。「文脈をつける」ことを考え、それを言語化しようと努力するのです。

もちろん、小さな子どもがすぐにそれを言語化できるとはかぎりませんが、その場合は「サッカーが楽しそうだから？　それとも、友達がやってるから？」などと思考を深めるための助け船を出してあげればいいでしょう。

そういう言語化ができるようになるかどうかによって子どもの生き方は大きく変わると思います。ぜひ親子でいっしょに思考体力をつけてみてはいかがでしょうか。

「語学力」にとらわれない時代がやってくる

これからの時代を生きていく人たちは、物事を深く考え、それを「言語化」する能力を身につけることが大事です。その意味では、前述のとおり「英語学習」ばかりに熱をあげるのは間違っていると考えています。

そう言うと、「グローバルな社会では、『言語化』するにも高い英語力が必要ではないか」と反論したくなる人もいるでしょう。

しかし、言語化の能力とは解釈力や説明能力のことであって、語学力のことではありません。どんなに英語が流暢《りゅうちょう》でも、解釈が低レベルで説明が下手では、話を聞いてもらえない。重要なのは語学力ではなく、相手が「こいつの話は聞く価値がある」と思えるだけの知性です。

たとえば以前、ある日本のベンチャー起業家が外国の投資家に対して自分の事業に関するプレゼンテーションをしている様子をネットの動画で見たことがあります。私も人のことは言えませんが、それはひどい発音でした。でも、相手の投資家はじっくり話を聞いている。「英語」ではなく「事業の内容」を聞いているので、それさえ興味深ければ何も問題ないのです。

それを見て私は、「こんな状況は、日本ではありえないかもな」と思いました。日本人は、タレントがおかしな言い回しの日本語を喋っているという表面的な姿だけで、内容やその人の知性を誤解してしまう良くない場面もたまに目にしますし、「やっぱり日本語は難しいね」などと言う人もいるでしょう。良いことを話していても、その中身を聞く前に、語学力だけで相手の知性を値踏みしてしまうのです。

これは、日本人の民族的な均質性の高さが背景にあるのかもしれません。

一方、マイクロソフトやグーグルのようなグローバル企業に行くと、そこで働いているのは英語を母語とする人だけではありません。フランス人と中国人とインド人が、それぞれ強烈に訛《なま》りのある英語で会話をしています。

もちろん、そういう会社に採用されるぐらいなので、みんなとても優秀で、世界トップの大学で博士号を持っていたりします。そして、そのような人が自分の見地でする発言だから、何らかの意味がそこにあるだろうと積極的に会話に参加して聞き取ろうとする。そういった専門職においては、語学力で知的レベルを判断されることはほとんどありません。流暢なだけの英語を話すことは、求められていないのです。

そのためマイクロソフトとか国際的な大企業の社内には、やたらとホワイトボードがたくさんあります。壁一面がホワイトボードになっていることもあるし、窓ガラスにも書けるようになっている場所がある。英語だけでは通じにくいことも、絵や図表などのイメージ（あるいは数式）を書いて伝えればわかってもらえることが多いからです。

日本人にはこの感覚がなかなかわからないので、「英語が下手だとグローバルな社会では相手にしてもらえない」と思ってしまいがちです。

だから外国旅行をしても、「流暢な英語を喋らないとバカだと思われてしまう」という恐怖心を抱いてしまう。デタラメな英語でも、言っている内容がまともならバカにはされないにもかかわらず、コミュニケーションの機会を狭めてしまっているのです。

コミュニケーションは「ロジック」がすべて

もちろん、美しい英語を話せるに越したことはありません。日本人にとっては、日本語が上手な外国人のほうが話していて楽なのはたしかでしょう。ですから英語圏では、ほかの能力が同じなら、英語が上手な人のほうがありがたがられるとは思います。それにサービス業でしたら、英語をちゃんとしゃべれることも専門性の一部です。

でも、そういった職に就こうとしない人にとっては、英語の勉強に時間をかけることで自分の専門性を失うようならば意味がありません。美しい言葉を話せるだけで信用されることはないので、聞くだけの価値があると信頼される実績を身につけることができるかが大切です。自分の価値を高めるには、ほかにやるべきことがある。時間は有限です。通訳や翻訳など「語学の専門家」を目指すなら別ですが、専門性のないただのバイリンガルになっても仕方がないかもしれません。

もし語学力をつけるために海外留学をするなら、なるべく自分の専門性につながる形のほうがいいでしょう。英語しか通じないところに身を置くのは習得の早道ですが、英語だけのために外国にいるのは無駄かもしれません。生活のための日常会話はできるようになるかもしれませんが、専門性は高まらないからです。そんな留学をするよりは、海外の企業にインターンとして行ったほうがはるかに役立つでしょう。その世界のプロたちが仕事で使う英語を聞くことができるからです。

ただし、先ほども書いたように、そこにいるのは「きれいな英語」を話す人ばかりではありません。英語はデタラメでも、話の中身はしっかりしている。そういう人たちが集まる環境に身を置けば、何が大事なのかもわかるでしょう。

これからの時代、コミュニケーションで大事なのは、語学的な正しさではなく、「ロジックの正しさ」ではないでしょうか。

言葉は、文法が正しければ論理的になるというものではありません。実際、使っている日本語自体は間違っていないのに、ロジックがめちゃくちゃな話はいくらでもあるでしょう。ロジックは数式のようなものですから、言語からは切り離すことができるのです。

たとえばソフトバンクの孫正義さんは、若い頃にアメリカの大学を受験した際、「オレは問題が日本語で書かれていれば解ける。だから辞書を使わせろ」と要求したという有名なエピソードがあります。それが通って、合格したそうです。語学の試験ならともかく、数学や物理や歴史などの試験なら、これで何の問題もないでしょう。

したがって外国人との会話も、まずはその内容を自分の母語できちんとロジカルに話せることが大事です。それさえできれば、あとは前述した言語に関する人工知能が通訳してくれる時代がもうすぐ訪れることでしょう。

現時点でも、日本語のロジックさえしっかりしていれば、自動翻訳はかなり使えます。たとえばＬＩＮＥで外国人とやり取りするときは、自分で英文を書く必要がほとんどありません。意味が明確な日本語の文章は、ほぼ完璧に自動翻訳してくれます。「自動翻訳は、ちゃんと翻訳してくれない」と文句をつける人の多くは、そもそも自分が日本語で明確な文や機械が翻訳しやすい文を書けていないのではないでしょうか。要するに、機械が理解できるように書けていない。プログラミング言語を使うようにロジカルな文で自動翻訳を使うと、結構すんなりと訳されます。文学的な表現などの場合は話が違いますが、単に意味が伝われば十分なコミュニケーションは、明確なロジックがすべてなのです。

世界は人間が回している

ロジカルな言語化能力は思考を深めていく上で欠かせませんが、それによって対人コミュニケーション能力が高まることも見逃せません。

人が生きていく上でコミュニケーション能力が大事だということは、誰も否定しないでしょう。私も、そう思います。

ただし私がここで言いたいのは、小学校の先生がよく口にする「みんな仲良くしましょう」みたいな話ではありません。コミュニケーション能力が求められるのは、あくまでも

「世界の問題を解決するため」です。

　自分が発見した世界の問題を解決するためにコミュニケーション能力が必要なのは、「世界は人間が回している」からです。

　人間の世界を人間が回しているなんて、当たり前のことだと思うかもしれません。しかし実際には――これはとくに日本人に多いのですが――世の中を人間が回していることを忘れているように見える人がよくいます。

　たとえば、国や地方自治体の意思決定。あるいは、裁判所の判決。様々な助成金にいくらのお金が投じられるかの判断。これはいずれも、人間がやっていることです。ところが多くの人々は、個々の人間ではなく、何か得体の知れない「システム」が世の中を動かしていると思い込んでいます。

　コロナ対策のような大きな話は、それを推進していた人の顔が見えるので、「この人が動かした」と思えるかもしれません。しかし、たとえば自転車の危険運転に対する取り締まりが厳しくなったことなどはどうでしょうか。それだって誰か責任ある立場の人間が最終的に決めているに違いないわけですが、そういう存在のことを人々はあまり考えようとしません。人間が世界を回していることを、実際にはあまり感じられていないのです。

グーグルやフェイスブックのようなネット上のサービスも同じこと。どれも人間が作っているので、その人の意思決定によっては、急におかしな仕様変更が実施されることもあるでしょう。人間が回しているからこそ、そのようなことが起こるのです。

ひとりの人間の判断で、事態が好転することもあります。たとえば東日本大震災が起きたとき、電話やメールは一時的に使用不能に陥りましたが、ツイッターは無事でした。それによって、首都圏では帰宅困難者たちが情報収集や連絡にツイッターを活用できたわけです。これはツイッター社のその日の担当者が機転を利かせてセッティングを変え、日本で一気に情報量が増えてもシステムがパンクしないようにしたからと言われています。「人間が世界を回している」ことの好例と言えるでしょう。

ところが世界が「システム」だと思い込んでいる人は、それを人間のせいだとは考えません。うまく稼働すれば「システムの優秀さ」、うまく稼働しなければ「システムの不都合や故障」のようなものだと受け止めている人は多いはずです。そしてひいては自分も社会の主体であるにもかかわらず、「社会のせい」にしていってしまいます。

「魔法」の裏側を聞き出そうとしない日本人

これは、「魔法」の話とも通底しています。「なぜそうなるのかわからない」のが「魔法」ですが、それを謎のまま「便利だから」と受け入れる人が大勢いる一方で、「魔法使い」の秘密を知ろうとする人もいるでしょう。後者は、「魔法」の向こうにそれを操る人間がいることがわかっている。人間が世界を回していることをわかっている人は、魔法使いが何をしているかを知りたがるわけです。

実際、私が空中に物を浮かせる研究などをしていると、その実験動画をネットで見た知らないアメリカ人から、メールで「あれはどういう仕組みなんだ?」と質問されることがよくあります。でも、日本人からそういうメールが来たことはほとんどありません。そうやって、世界を「できあがったシステム」だと考えていたのでは、そこで起きる問題を解決することはできないでしょう。そのシステムの「ユーザー」として、価値や利便性などを享受するだけになってしまいます。

しかしそれではクリエイティブ・クラスとして生きていくことはできません。問題を解決して世界を変えようと思ったら、その世界を回している人間の営みを理解する必要があるでしょう。

たとえばスポーツの世界には、フィギュアスケートのような「採点競技」があります。ソチ五輪と平昌五輪では日本の羽生結弦選手が金メダルを獲りましたが、彼の演技は機械的なシステムによって採点されたわけではありません。あくまでも、審査員という「人間」によって選ばれました。マークシート式の試験ではなく、小論文や面接試験の採点に近いと言えます。これも「人間が回している世界」です。

そこを理解していない選手がいたとしたら、おそらく金メダルは獲れないでしょう。陸上競技や水泳のように純粋なタイムを争うわけではないのですから、審査員の見方や考え方を理解して、何をすれば高得点をもらえるのかを研究しなければ勝つことはできません。相手は人間だから、感動させれば印象は良くなるでしょうし、どこかで利害関係が働けば採点が辛めになることもあるだろうと思います。

どんな分野でも、それを人間が動かしている以上、何かを実現する上でキーマンになる存在はいるでしょう。それなりの立場にいる人の判断によって重要な意思決定が行われるのです。それは様々な業界でのトップの役割です。

だとすれば、世界を変えるためには、そこで物事を回しているキーマンの考え方や見方にこちらから影響を与える必要があります。これはやがて、そういった判断がシステムに行われるようになるまでは、人間がやり続けるのだろうなと思います。

とはいえ、私はここで「権限を握っている人にゴマをすれ」などと言いたいわけではありません。大切なのはご機嫌を取ることではなく、相手が決断しやすいような材料をロジカルに提供することです。

そのためには、フィギュアスケートの選手のように、相手の問題意識や物事の考え方を理解することも大事でしょう。それを理解すれば、どんな材料をどのようなロジックで説明すべきかが見えてきます。つまり相手をプログラムするようにロジックを組むこと。これが、「コミュニケーション能力」にほかなりません。世界は人間が回しているからこそ、対人コミュニケーションがうまくできなければ世界は変えられないのです。

そのコミュニケーションで何よりも大切なのは、説得力のあるロジックでしょう。どんなに笑顔で愛想良く話ができても、ロジックが穴だらけで説得力がないのでは聞いてもらえません。テレカン時代になって、この身体特徴が使えない状態に遭遇している人も多いのではないでしょうか。その意味でも、常に自分のやろうとしていることに「誰が幸せになるのか」「なぜいま、それなのか」などの文脈をつけておくことが大事なのです。

また、ロジカルに話をすればちゃんと聞いてくれる相手こそが、クリエイティブ・クラスを目指す人間にとってのキーマンだと思っていいでしょう。

世の中の大人たちの中には、話を聞く前に自分の先入観で相手をバカにする人も少なくありません。実績のない若い人の話は最初から聞こうともせずに否定してしまう人もいます。本物のクリエイティブ・クラスは、研究者であれ、起業家であれ、自分が理解できるまできちんと相手の話を聞きます。ちょっと聞いてその価値がわからなければ、自分から問いを発して話を掘り下げていく。自分の理解が間違っているのか、相手に価値がないのかを見極めるまで、会話をやめません。

だからこそ、そのハードルを越えて世界を変えるには、厳しい議論に耐えられるだけの論理的なコミュニケーション能力が求められます。そのために必要なのは、きれいな英語を話す「語学力」ではありません。もちろん、コンピュータを動かすプログラミングのスキルでもない。解決したい問題について自問自答をくり返す思考体力が根底になければ、「世界を回している人間」を動かすことはできないのです。

幸福の基準は自分で明示的に設定する

自分の見つけた問題を解決するため、徹底的に考え抜く――そこに「厳しさ」や「苦しさ」を感じる人もいるかもしれませんが、私はそれ自体がものすごく楽しく、幸せなことだと思っています。

前に友人と「この世でいちばん幸せな人は誰か」という話で盛り上がったとき、私がたどり着いた結論はこうでした。

「ブータンの山奥で、いつか世界を変える（と自分では思っている）ビジネスモデルを作っている人」――べつにブータンでなくてもいいのですが、物質的には決して豊かではないが人間的に幸福でいられるような社会が提供される場所で、誰に評価されることもなく、自分の妄想の世界に閉じこもって、ひとりで世界を変える作戦を練る。まわりから見ればただの変わり者かもしれませんが、本人にとっては至福の日々でしょう。その幸福感を否定できる人はいません。

「まだ何も実現していないのに幸福なの？」

そんな疑問を持つ人もいるでしょうが、ブータンの山奥にいる「彼」にとっては、「いつか」が訪れた時点で最大の幸福感は消え去ります。それは「成功」かもしれないけれど、「幸福」とは違う。その2つは必ずしも一致しません。

たとえば事業で大成功を収めた大金持ちは、まわりから見れば羨ましくて仕方がないけれど、本人が幸福感を得ているかどうかはわからない。大金持ちには大金持ちの苦労があるからです。ヒット曲を連発するアイドルなども同じこと。むしろ、いつかブレイクするための方法を考えていたインディーズのときのほうが幸福感は大きかったかもしれません。

「成功」と「幸福」は同じではないのです。

もちろん、「幸福」の形はひとつではありません。人によっては、フランスの農村でブドウを踏む日々に幸せを感じるでしょう。郊外の巨大ショッピングモールで完結する人生を送るのも悪くないし、タヒチあたりのビーチで毎日カクテルを飲むような暮らしに憧れる人もいると思います。何に幸福を見出そうが、その人の自由です。

ここで大事なのは、自分にとっての幸せが何なのかをしっかり考えておくこと。なぜなら、いまの時代は、SNSなどを通じて他人の生活が可視化されやすいからです。

人々が自分と他人の幸福度を比較して、嫉妬心を抱いたり優越感に浸ったりするのは、いまに始まったことではありません。しかしいまは、昔は見えなかった他人の幸福が日常的に目に入ります。フェイスブックをやっているだけでも、毎日のように友達の「リア充自慢」を見せられる。SNSは「他人が目立つ」メディアなのです。

だから、自分にとっての「幸福」が何なのかが曖昧《あいまい》だと、つい他人の幸福に目を奪われ、「こいつらと比べて自分はなんて不幸なんだ」と嫉妬するだけの状態になりかねません。

そうやって不満や惨めさを心の中に溜め込んでいる人がいまの時代には大勢います。

「ワーク・ライフ・バランス」は時間を切り売りする人の考え方

しかし、自分にとって何が幸福かを明確にしていれば、そんなふうに他人と自分を比較して落ち込むことはありません。別の言葉で言えば、それは「経済感覚」ひいては「時間感覚」をしっかりと持つということです。

経済と聞くとお金のことだと思うかもしれませんが、そうではありません。幸福感はお金だけで決まるものではないので、ここでいう「経済感覚」には、もっと広い意味合いがあります。とくにこれからの世界で考えなければいけないのは、「お金」と「時間」のどちらを大事にするかという問題でしょう。

なぜなら、今後の世界を支配するコンピュータにとって、「時間」はきわめて重要な概念だからです。

コンピュータが演算をする際、コストを決めるのは「仕事」÷「処理速度」＝「かかる時間」の1点だけです。ある結果を出すのに、どれぐらいの処理時間を要するかが問われます。それがいまの「未来への距離」です。

世界のコンピュータ化が進めば、人間もそれと同じこと。時間が貨幣と同じような価値を持つことになるでしょう。

だとすると、人生を考える際には大きく分けて2つの基本方針があります。

「時間を切り売りしてお金を稼ぐ」のか。それとも、「自由に使える時間を手に入れる」のか。どちらを選ぶかはそれぞれの価値観次第ですが、少なくとも私は後者が自分にとって幸せな生き方だと考えて、いまの仕事を選びました。

ただし、それは「余暇」がたくさんあるということではありません。「余暇」が欲しいなら、むしろ時間を切り売りするほうを選ぶでしょう。そちらを選んだ場合、時給を上げることができれば余暇は増えます。逆に、時給の低いブラックな仕事だと、余暇はなかなか得られません。

このように、時間を切り売りする仕事を選ぶと、人生は「お金を稼ぐ時間」と「休む時間」に分かれます。すると、いわゆる「ワーク・ライフ・バランス」を考えざるを得ません。これは文字どおり「仕事と生活の調和」を意味する言葉で、ビジネス書にもよく出てきます。そのバランスが「ワーク」のほうに偏ると幸福な人生にはならない、と考える人が大半でしょう。

でも、それは万人に当てはまる考え方ではありません。ワーク・ライフ・バランスが問題になるのは、「好きなこと」「やりたいこと」を仕事にしていないからです。解決したい問題がある人間は、できることなら1日24時間、1年365日をそれに費やしたい。だから私は、時間を切り売りしてお金を稼ぐのではなく、自由な時間をより多く得られる仕事を選んでいるわけです。ワーク・ライフ・バランスなんて考えたこともないし、その概念自体が私には必要ありません。私は自分の人生を「ワーク・アズ・ライフ」だと思って捉えています。

「消費」と「投資」の違いを知ろう

自分の幸福感を明確にするには、仕事に対する考え方を最初に整理しておくべきでしょう。要するに、問題解決という行為そのものが幸福なのか、仕事以外の余暇が幸福なのかということです。金銭的に充足される「ライフ」を充実させたければ、「ワーク」のほうでたくさんお金を稼がなければいけないかもしれません。

そこでもうひとつ考えてほしいことがあります。

この数年、繰り返し指摘してきたことではありますが、それは、「消費」と「投資」の違いです。消費とは、使った瞬間にそのお金の価値がゼロになる行動のこと。一方の投資は、お金を使っても価値が残ります。たとえば1万円のウナギを食べると使ったお金の価値は残らないので、消費。しかし1万円の指輪を買った場合は、翌日に5000円ぐらいでは売れるかもしれません。だから、こちらには投資的な面があります。あなたがこの本を買ったことは、もちろん投資です。本の場合、残る価値は「中古品として売れる」ことだけではありません（この本は売らずに何度も読んでほしいですが）。それよりも、頭の中に残る情報の価値が大きい。読んだ自分自身の価値が上がるのです。その分、中古品としての価値が減っていくものより、投資価値は高いと言えるでしょう。大学の授業料など、教育的な観点のあるものも消費ではなく、投資にほかなりません。

では、時間を切り売りしたお金で余暇を楽しむのは、どちらなのか。基本的には「消費」行動でしょう。そこで消費されるのは、お金だけではありません。余暇として使った時間も消費されています。

一方、ワークとライフを区別せず、自分のやりたいことに時間を使う生き方には、「消費」がほとんどありません。すべては自分の能力を高め、問題を解決するための「投資」なのです。「ワーク・アズ・ライフ」の醍醐味はここにあります。

研究する、論文を書く、本を書く、そのために勉強したりデータを取ったりする。それらはすべて「投資」となっていくのです。

「富」は世界にあふれ、若い有望な人に投資したがっている

ワークとライフを区別せずに「やりたいこと」をやり続ける生き方は、幸福なものではありますが、決して楽なものではありません。息抜きや遊びの時間も必要ですが、それはあくまでも自分の目的を実現するための手段のようなもの。「ライフ」の充実を「ワーク」の目的と考える生き方とは正反対です。

しかし、時間を切り売りして稼いだお金や余暇を消費する人たちは、これから減っていくでしょう。いまのホワイトカラーはまさに「できるだけ時給を高めて余暇を豊かに過ごす」のが基本スタイルですが、それはどんどんシステムに駆逐されていきます。ワーク・ライフ・バランスを考える人たちは、いずれシステムが発達した世界でシステムに組み入れられることでしょう。

2016年と比べ、2020年現在、すでに実感している人も少なくないと思いますが、多くの中間層が消滅し、働き方は大きく変わってきました。これからの世界は時間を自由に使う生き方を選ぶ人が増えるでしょう。研究者・アーティストだけではありません。文

化人、芸能人、スポーツ選手、政治家、そして起業家といった労働時間が自由な人々が仕事を得やすい社会にこれから一層なっていくはずです。

資本主義は「お金がお金を生むシステム」ですから、お金持ちは富を貯めておくだけでは意味がない。だから実は、それを「投資」という行為によって再分配したがっています。ところが現在の日本には、以前より増えたとはいえ、その選択肢を取りに行く人間が多くありません。投資対象がないから、お金が投資家のところに貯まるだけで、一般の人々は豊かさを実感できないのです。

極端な話、もし新卒の学生たちが就活をやめて全員が起業したら、そこには投資対象しか存在しなくなるでしょう。企業の採用試験はなくなり、その代わり、若くて有望な投資先を求める投資家たちが一斉に面接を始めるかもしれません。そうすると、ＩＴ化によって増えた富が回り始め、どんどん再分配されるでしょう。

しかし現実には、それとは逆のことが起きています。現在の日本では長い不況のせいで雇用状況が悪化したこともあり、就活生の多くが必死になって「正社員」の座を求めたり、達観していまの人生を受け容れ始めたりしているのです。その争いに敗れて挫折する人がたくさんいるわけですが、これは何かがおかしいと思います。時代が変わろうとしているのに、相変わらず時間を切り売りするホワイトカラーを目指すことで、余った富を獲得するチャンスを自ら手放しているのです。

もちろん、起業には大きなリスクがあります。正社員として入った会社だって倒産する可能性はありますが、起業のリスクはそれとは比較になりません。成功するのは、せいぜい1%ぐらいのものでしょう。

でも、起業のスタートラインに立つこと自体は簡単です。そのハードルは昔と比べると格段に下がりました。誰でも思い立ったらすぐに起業できるのが現在の社会です。

ブータンの山奥でなくとも、そのスタートラインに立つことさえできれば「いつか世界を変えるビジネスモデルを作る幸福」を味わうことができるでしょう。その幸福感は、「成功か失敗か」という結果とは関係ありません。自由に時間を使って、思いどおりに戦えていること自体が、幸せなのです。

「チャンス」がある環境に身を置く重要性

そういう「チャンス」に乗ろうと思うかどうかで、人生設計の経済感覚は違ってきます。たとえば、サンフランシスコで年収2500万円の職に就いたとしましょう。日本なら高収入ですが、向こうではギリギリ暮らしていける程度の収入にすぎません。東京と比べても、家賃が格段に高いからです。

家賃が安い物件もありますが、サンフランシスコの場合、それは住むには危険なエリアであることが多い。そこは、東京と大きく違うところです。東京の場合、最低レベルの家賃でも、最高級のマンションでも、そのエリアの治安レベルはほとんど変わりません。しかしアメリカでは、「安全を金で買う」のが当たり前の感覚です。端的に言って、家賃が高ければ高いエリアほど危険度は低くなります。だから、安全を確保すると年収2500万円でもサンフランシスコではあまり豊かな生活はできません。

当たり前のことですが、生活の豊かさは、年収だけを単純に比較してもわからない。これは、ごくまっとうな経済感覚といえるでしょう。

さらに、「チャンス」の概念を加えて考えると、話はまた違ってきます。

コロナショック以降はどうなるかわかりませんが、サンフランシスコには日本にはないチャンスがあるので、いまは年収2500万円でギリギリの生活でも、2年後には年収5000万円になっているかもしれません。

安定した日本企業で正社員として働くことを選択すれば、数年で年収が何倍にもなるチャンスは少ないでしょう。日本で起業すればそのチャンスはありますが、成功したときの爆発力はやはりアメリカのほうが上。そこまで含めて比較する必要があります。

もちろん、成功したときの爆発力が大きければ、それだけ競争も激しくなります。サンフランシスコで戦うことを選んだ10人のうち、9人は失敗して帰ってくることになるでしょう。とはいえ、自分の専門性の強みが確立できていれば、日本に戻って年収1000万円の職に就ける可能性もないわけではありません。

あなたの「市場価値」が最大化するのはいつか

したがって、これからの若い世代が考えなければいけないのは、「年収1000万円の会社に入ること（入って安心すること）」ではなく、「年収1000万円の価値がある人間になること」でしょう。その価値によって会社に採用されサラリーマンになったとしても、価値さえあれば別の会社に転職することも可能ですから、広い意味で一企業に縛られない生き方です。

自分の人材としての価値は、必ずしも「現時点でいくら稼げるか」とは一致しません。これは、株式市場における企業価値と同じです。企業価値は、現在の売り上げだけで決まるわけではありません。将来的に売り上げが大きくなることが期待できれば、企業価値は高くなります。

たとえば、ツイッターは一体、どうやって儲けているのか。これを説明できる人はそう多くないと思いますが、正解は「いまはそんなに儲かっていない」です。しかし将来的には大きな利潤を生み出すことが期待できるので、企業価値は高い。その価値さえあれば、いまはさほど利益を出していなくても、会社は存続できるわけです。

知り合いがやっているベンチャー企業も、上場したときの売り上げは13億円程度しかありませんでしたが、前著の刊行当時、株式の市場価値は1700億円もありました。過大評価と思われるかもしれませんが、そんなことはありません。現時点で売り上げが少ないのは社会のインフラが不足しているせいなので、それが十分なものになれば、将来は大幅に収益が伸びる。それを見越して、企業価値になっているのです。

人間の価値も、これと同じように、将来を見据えて考えなければいけません。たとえば18歳のアイドルは、いまはたくさん稼げますが、その市場価値は5年後には下がることが多い。逆に、成長分野にいる20代後半ぐらいの博士研究者は、いまは薄給にあえいでいるかもしれませんが、5年後の市場価値は上がっている可能性があります。

どんな職業でも、人の市場価値はそうやって年代ごとに上下します。だから自分の幸福感や経済感覚を考えるときは、年代別の「価値曲線」を引いてみることが大事です。たとえばキラキラしていてみんなにかわいがられているアイドルなら、市場価値が最大化するのは20代前半ぐらいかもしれません。それ以降は、もう上がらない。ホワイトカラーの会社員なら、40代で市場価値が最大化するでしょう。

このように、自分の将来をイメージするときは、市場価値の「最高到達点」がどこにあるのかを考えておくべきです。

芸術家なら、価値の最高到達点は60代かもしれません。そのぐらいで円熟の境地に達する芸術家は大勢います。たまに「早熟の天才」も出現しますが、長続きしないことも多い。

だから焦る必要はないわけですが、その道を目指す場合、高く評価されないまま60歳までの40年間を地道に過ごせるかどうかが問われるでしょう。それに「耐えられる」と信じられなければ、続けることはできません。

若手起業家の場合は、概ね35～40歳が旬な時期です。若いときに起業した人が上場を果たすのは、それぐらいの時期です。そこで自分の価値がマックスになればいいわけです。

ちなみに、人生の価値曲線に表れる「山」はひとつではありません。最高到達点のほかにも「山」はいくつもあるでしょう。正社員を目指している学生は、入社から徐々に年収が上がって定年前にピークに達する価値曲線をイメージするかもしれませんが、そういうパターンは終身雇用の崩壊と同時に過去のものになりました。もう、年齢を重ねるほど価値が上がる年功序列の社会ではありません。いまの時代、人材の市場価値はアップダウンをくり返すのが当たり前だと考えたほうがいいでしょう。

たとえば10代でデビューして大成功したアイドルやスポーツ選手の「最高到達点」は、そのまま何も工夫しなければ、20～30歳ぐらいです。肉体的な変化とともに変わっていってしまうことが多いと思います。しかし必ずしも「後は下り坂」とはかぎりません。引退後に個人投資家にでもなり、アイドル時代やスポーツ選手時代に手にしたお金でベンチャーキャピタルとして成功すれば、もっと高い「山」が訪れる可能性もあります。そういう例は数年前は海外が中心でしたが、近年では日本でも目につくようになりました。

大学を出てすぐに起業した場合も、いったん「山」になった後、うまくいかなくなって30歳ぐらいで会社を解散することになるかもしれません。しかし会社は失敗して潰してしまったとしても、大きな経験を積んだその人の市場価値はそこそこ伸びているでしょう。

その後のキャリアはいろいろ考えられますが、たとえば経験を活かして大学の教員になるかもしれない。その時点では市場価値が下がりますが、10年かけて研究者としての価値が浮上することもあり得ます。もちろん、次のビジネスを考え出して新しい会社をつくることもあるでしょう。

いずれにしろ、転身の段階での市場価値はスタート地点と同じではありません。一度できた「山」より低いとはいえ、大学を出たときよりは高い。そうやって、上昇と下降をくり返しながらも、「次にできる山」を高くしていけば、人生の最高到達点をどんどん高く設定できるのです。

*

ここまで見てきたように、そして今ウイルスにより変革が迫られているように、コンピュータとネットが発達した世界では、いままでの「人材の価値」に対する考え方がまったく変化してしまいました。旧来型の就活と出世のレールを探しているだけでは、入社した会社がどんなに大きくても、まもなくシステムに淘汰《とうた》されます。

重要なのは、「言語化する能力」「論理力」「思考体力」「世界70億人を相手にすること」「経済感覚」「世界は人間が回しているという意識」、そして「専門性」です。これらの武器を身につければ、「自分」という個人に価値が生まれるので、どこでも活躍の場を見つけることができます。

何より「専門性」は重要です。小さなことでもいいから、「自分にしかできないこと」は、その人材を欲するに十分な理由だからです。専門性を高めていけば、「魔法を使う側」になることができるはずです。

注

＊30　深く何層にも及ぶ人間の脳の神経回路を模して、コンピュータが自ら学習するようにしたプログラムを作り、学習させる研究。ディープラーニングとも呼ばれる

＊31　隙間産業。規模の小さい市場のこと

＊32　ある生物学的要因の変化をきっかけに、それに関連する別の生物学的要因が変わること。ここではコンピュータの進化とともに人間社会も変わること

参考文献

P95　落合陽一、デジタルネイチャー：生態系を為す汎神化した計算機による侘と寂、Planets, ISBN-13 978-4905325093, 2018.

P115　Marc Prensky, Digital Natives, Digital Immigrants, MCB University Press, Vol.9, No.5, 2001.

P120　落合陽一、デジタルネイチャー：生態系を為す汎神化した計算機による侘と寂、Planets, ISBN-13 978-4905325093, 2018.

第三章

「天才」ではない、「変態」だ

「変態」の将来は明るい

ときどきメディアで「天才」と呼ばれている人がいます。おそらく、この言葉を使う人たちは、いわゆる「秀才」とは違うという意味合いを持たせているのでしょう。

一般的に、「秀才」という言葉には、まんべんなく勉強のできる優等生というイメージがあります。そこには「専門性」がない。学んだことを利用して何でもこなせるジェネラリストが「秀才」です。

それに対して、「天才」は何かひとつのことに対してスペシャルな才能を持っています。「何でもこなせる天才」はほとんどいません。また、「天才」ということによって説明を省略する癖が日本のメディアにはあるように思います。

ここまで読んできた人なら、「秀才」がどんな形で能力を発揮するかはわかるでしょう。そうです、「処理能力の高いホワイトカラー」こそ、秀才タイプの人が自分を活かす道にほかなりません。何でもそこそこ高いレベルでこなす秀才は、大企業が大量に必要とする人材でした。

ちなみに、クリエイティブ・クラスには専門性が不可欠ですが、そのレンジが狭すぎると失敗の確率が高まります。だから、レンジをある程度広くとった「変態性」が重要です。

たとえばスポーツでも、小さい頃から「フィギュアスケートの選手になる」とターゲットを限定していると、そこでうまくいかなかったときに、ゴルフやテニスに転向することはできません。それこそ「フィギュアスケートの天才」の場合は狭い道を進むしかないでしょう。天才肌の人は得意なものが限られているので、その才能を活かす職種が最初からひとつに限定されてしまうケースが多いと思います。

しかし私の言う「変態」は比較的レンジの広い専門性を持っているので、選べる職種も広い。たとえば「天才建築家」の職種は建築士に限定されますが、「建物好きの変態」は建築士になれるだけでなく、建築に使う素材や重機などの開発者になれるかもしれませんし、インテリア・コーディネーターや都市計画の専門家にもなれるかもしれません。「天才ギタリスト」と「音楽好きの変態」の将来を考えてみても、その違いはよくわかるのではないでしょうか。才能という言葉だけでは表しきれない猛烈な執念のようなものが「変態」からはただよってくるのです。

仕組みを考えながら好奇心を満たす

ここからは、一例として、私がこれまでどんなことをして、何を考えて専門性を身につけたのかを紹介します。

前にも述べたとおり、最初にコンピュータと出会ったのは8歳のときですが、それ以前から機械は大好きでした。ただし、オモチャとして使うのが好きだったのではなく、バラバラに分解するのが大好きな子どもでした。「これは一体、どういう仕組みになってるんだ?」ということが気になって仕方なかったのです。小さい頃にドライバーを買ってもらってから生活は一変しました。

たとえば、電卓。数字のボタンをいじっているだけで計算ができることも面白かったのですが、開けて中身を見たときは「すげえ」と感動しました。子どもなので意味はわからないけれど、ICチップが緑色の基盤の上に黒い樹脂で固められていて、そこから配線がいっぱい伸びています。

「この緑色の板は何かすごいものに違いない」

電卓という「魔術」の裏側にまた別の「魔術」が隠されていたのを発見したような気がして、かなり興奮しました。極めてフェティシズム的な反応です。そこでテンションが上がるあたりが、自分の中にもある「変態」としての部分の特徴かもしれません。「天才」はそこでいちいち興奮しないような気がします。

ほかにもいろいろな機械をバラバラにしました。その中でガッカリしたのは電話機。たしか4歳か5歳のときだったと思います。

機械から声が聞こえるのが気になって受話器をバラしてみたのですが、中身はスカスカで思いの外チャチな作りでした。プラスチックの外装以外は配線が数本あるだけで、部品を全部集めても紙コップ一個に入るぐらいしかありません。印象としては、電気を使う糸電話と大差ないのです。原理を考えれば当然のことなんですが。

あのときは、子ども心に「いけないものを見てしまった」と思いました。外見はピカピカしていて、すごい機械に見えるのに、中身は大したことがない。外側を覆っているプラスチックのせいで豪華に見えるだけなんだな、と知ってしまったわけです。

中学生になるとエレキギターばかり弾いていました。何本かギターを持っていましたが、当然、これも裏蓋を開けて分解しました。

この頃になると、ただバラバラにするだけでなく、自分で改造もしました。安いギターと高いギターを比べてみると、もちろん外側の木の材質が違うのですが、安いギターは中身も比較的粗雑な感じに作られています。そこで、電子回路に時定数[*33]を変えた部品（これを入れると周波数が変わります）を突っ込み、自分でいろいろと手を加えてみると、それなりにいい音で鳴るようになりました。アナログ回路との出会いです。

人生を変えた「鉛筆転がし」

そんな私が大学でコンピュータ関係の方向に進んだのは、ほとんど偶然のようなものです。私は、受験勉強に関してあまり要領がよいほうではありませんでした。一浪して筑波大学の後期試験に出願したときは、学部は「どうでもいいや」と鉛筆を転がして決めました。それが、コンピュータを扱う「情報メディア創成学類」だったのです。

いい加減な話ですが、結果的にはそれが良かったと言えます。コンピュータやインターネットには8歳のときから親しんでいたし、いろいろなことをやれる分野です。当初やりたかった医学や薬学の研究も今後は非常に多くのところでコンピュータによる計算結果や人工知能との親和性を図るようになるでしょう。

それに、筑波大学はこれまでに多くのメディアアーティストを輩出してきました。国内ではあまりそういうイメージがないかもしれませんが、世界から見れば「筑波大と言えばメディアアート」というくらい有名です。日本人のメディアアーティストの多くは筑波大出身なのではないでしょうか。たとえば世界的なCGアーティストの河口洋一郎さんや、『ウゴウゴルーガ』（フジテレビ系）というテレビ番組のCGやキャラクターデザイン、最近ではヤマハとのコラボで生まれた電子楽器「テノリオン」で有名な岩井俊雄さんも、筑波大出身者です。

大学に入って、実際にそういったジャンルで戦っていくことができるとわかってからは、自分の進む道をすんなり決めることができました。

小さい頃は隣に住んでいた画家の先生に絵を習っていましたし、ギターを始めてからはミュージシャン志向も強かったので、もともとアート方面のことは自分の中でかなり思考を掘り下げられていています。しかもコンピュータを使うとなれば、その研究者としてもやっていけるでしょう。物理のことまでちゃんとわかっているメディアアーティストはそう多くありません。

そこで強い興味を持って考え始めたのが、「物質と映像はどう違うのか」という問題でした。そんなことは考えたこともない人が大半でしょうし、ふつうは「違うに決まってるじゃないか」としか思わないでしょうが、これが私にとっては大問題でした。人類の歴史を振り返ると、人間のまわりには「物質」と「映像」でのコミュニケーションばかりだったからです。

これまで人間のまわりには、「物質みたいな映像」も「映像みたいな物質」も存在しなかった。ならば、それを掘り下げることで何か面白いものが生まれるに違いない、と思ったのです。

「イメージとマテリアルの中間」に何があるのか

これと同じような指摘に、シュレーディンガーという理論物理学者が残した著作があります。波動方程式という量子力学の大きな柱を築いた人物です。そのシュレーディンガーは、晩年に人間の意識に関心を寄せ、『精神と物質』という本を書きました。またフランスの哲学者・ベルクソンは、『物質と記憶』という本を書いています。それらで展開されたのは、簡単に言えば「そういった二元論の間に、どういった関係性があるかを探求する」という、情報処理・物質・人の関係性に関する議論です。

それを私は「イメージ（映像）」と「マテリアル（物質）」に置き換えました。この議論を突き詰めていくと、いま、人間はイメージとマテリアルのそばにしか存在しない。そこには「イメージみたいなマテリアル」や「マテリアルみたいなイメージ」が存在していてもいいはずだ、そしてそれはやがて二元論的な世界から、統一的な世界に変わるきっかけを作るだろう。それが私の立てた仮説です。

では、それをどうやったら作ることができるのか。

マテリアルの分野には様々な研究があり、形が変わる素材なども開発されていますが、それはどこまで行ってもマテリアルそのものなので、私の立てた問題の解決にはなりません。物質ではないもので、映像のような物質、物質のような映像を作りたい。

それを考え抜いて、修士課程にいたときにたどり着いたのが「波」でした。音や光などの波動をうまく使えば、自分の求めている「イメージとマテリアルの中間」のようなものが作れるのではないかと気づいたのです。

その研究を通じて、私は様々なアート作品を作ってきました。たとえば、「三次元音響浮揚」。これは、超音波によっていろいろな物体を空中に浮かべて、三次元的に動かすものです。「物質」が宙に浮いて動き、形を作ることで、「映像」のように見えるのです。

そこからさらに、超音波で作ったフィールドで空中に絵を描く研究を行ったりもしました。レーザーで空気の分子を[*34]プラズマ化することで、空中に光で三次元の像を描き、接触を可能にする「空中ディスプレイ」は、まさに「映像のような物質」「物質のような映像」だと言えるでしょう。それから数年経った今でも、その類の研究は続けていますし、方向性は変わっていません。

前章で、自分のやろうとしている問題解決に「文脈」＝言葉で説明できる価値をつけることが大事だという話をしましたが、この「物体を浮かす」という私自身の研究にも、ちゃんと文脈をつけることができます。

まず、それによって誰が幸せになるのか。

超音波を使って物体を宙に浮かせ、三次元的に自由自在に動かすことができる「三次元音響浮揚」

新しいディスプレイができればコミュニケーションが拡張され、人と人との伝達がより細やかになり、エンターテインメントの世界も変わることで、多くの人が驚きや興奮を味わえるでしょう。また、物体を空中に浮かせられるようになると、医薬品の製造が容易になるなど実用的なメリットもあります。

次に、なぜいま、その問題なのか。なぜ先人たちにそれができなかったのか。この問いへの答えは、やはり「コンピュータ」です。

物体を浮かべるための物理学的な研究は、1970年代から行われていました。1個の物体が1個のスピーカーから出る超音波で浮くことは、その頃に証明されています。でも、その物体を自由に動き回らせるための計算とハードウェア制御は、コンピュータがないとできません。だから、50年前の先人にはできなかったことが、いまならできる。コンピュータがなかった時代は、そんなアイディア自体も思いつかなかったでしょう。しかしコンピュータを手にした私は、70年代の物理学者たちの仕事を受け継いで、このアイディアの実現に到達したわけです。

では、どこに行けばそれができるのか。こんなことをやらせてもらうには、やはり研究者がよいだろうと考えました。だから私は大学の教員になって、自分の研究室を持ちました。

最後に、実現のためのスキルはほかの人が到達しにくいものか。私は物理と数学とコンピュータと芸術に関して、自分の強みがあると思っているので、文化的な価値を考えることもできる。これは他の人には到達しにくいと思っています。

2つの自然のループの先に

いまだ名前のない自然をどうやって考えるべきでしょうか。いまは不自然だが、やがて自然になるもの。元来の自然のように大きなシステムを作るもの。

デジタルが物質性を持ち、物質がデジタルに変換される。アトム（物質）からビット（情報）へのビジョンが世界に浸透したのは、マサチューセッツ工科大学・メディアラボの創設者として知られるニコラス・ネグロポンテ氏の功績が大きいと思います。

その後もビットからアトムへのビジョンはＭＡＫＥＲムーブメントと呼ばれるウェブと現実を交えたデジタル技術を用いたものづくりへの動きや、タンジブルビット[*35]の研究や、実世界志向インターフェイスの研究を経由して、この世界に結実した、触れるリアリティ、イマーシヴ[*36]な体験、身体性を維持したままでのデジタルとの融合は、どこまでいけるでしょうか。ウイルスの感染拡大で、この世界のアトムとビットの関係性には大きな変化が起こると思っています。情報と物質と生命の３つか、もしくは情報に生命も入れて二軸かはわかりませんが。この５年間くらい、いまだ名前のない次なる自然を考えるとき、いまこの世界にある２つの自然のことを考えています。

ひとつは元来からある自然にコンピュータが張り巡らされた世界。実世界にコンピュータがあふれ、オーバーラップされてユビキタスになった環境。あらゆる微小な場所にもデータのグリッドが張り巡らされていて、アトムとビットはその空間の中で行き来している。ウイルスは物質か？　生命だろうか？　そんな古典的な問いに近い世界です。物理空間が情報的になっていく元来の自然です。

もうひとつの自然は、コンピュータの中に生まれつつある質量のないデータの自然です。データの自然は物質的な交換を持たないし、そこに見られる機械学習や物理シミュレーションを経由して生まれる新しい形態やその生成過程は物理世界とは違う理の自然を形成している――コンピュータウイルスはウイルスだろうか？　人工生命を規定するものはなんだろうか？　そんな問いに近い世界であり、生物の作り出した情報の上に構築されるデジタルの自然です。

この2つの自然は融合し、ひとつの自然を作りつつある。私は、この自然に「デジタルネイチャー」と仮の名をつけて考え続けています。この新しい自然は、2つの自然の中にループを作って、どちらの世界にもなかった着地を見出すことがあります。マイニングするためだけに電気を発電することもあるし、デジタル・カルチャーが見出した物理空間には紐づかない価値観が新しい知的価値を生むこともあります。

そういったカルチャーによって、計算機の中と外のどちらに軸足を置く時間が長いかは、おそらく潮の満ち引きのように流行によって左右されるのではないかと考えています。人が決めるかどうかはわかりません。元来の自然から来たウイルスがデジタルの行動変容を決めることもあれば、デジタルから来たコンピュータウイルスのような振る舞いが我々の行動を変えてしまうこともあります。もちろん広く深いデータの海もあるし、稠密な物理空間の前でその深遠さに感じ入ることもあります。その両者の中でカルチャーは様々な価値を醸成していきます。

私が今感じている空気感は、デジタルネイチャーの軸足が移りつつあるということです。物理空間との断絶による次の進化の足音が聞こえるのです。いまと違った理を生み出せばその理に基づく価値を生む。価値を信じるものはなんでしょうか。誰がビットコインやブロックチェーン上の通貨に価値を与えたのでしょうか。おそらく信用を経由し、物理空間に紐づくまでは価値がなかったものが紐づいたことによって価値が生まれたと言えます。紐づくまでの期間、それはどういう価値の状態であったのでしょうか。なぜそれが生まれるようになったのでしょうか。デジタルの中で完結する行いは、どういった意味を持って生まれてきたのでしょうか。そういう物理的な断絶がある価値が生まれつつあると思います。何が次の信用を生むか、何が次の価値を生むかは物理的な世界からの断絶にジャンプがあるかもしれません。私は、次のジャンプに向けて２つの自然の持つループの先に計算機自然の向かう先を考え続けているのです。

世の中の「継ぎ目」をなくしたい

２０１６年に本書を執筆したとき、私は以下のようなことを書きました。

〈人類はあらゆる検札行為から自由になる可能性があるのです。検札がなくなるということは、「絶対に万引きのできないコンビニ」なども作れるでしょう。買い物をするときに、レジを通る必要さえなくなります。店の棚から商品を持って帰るだけで、すべてその行動がスキャニングされて、スマホを通じてオンラインで課金されるのです。これは、有史以来ずっと人類を束縛してきた「ゲート」をなくし、僕たちの行動様式を大幅に変えることになるでしょう。でも、妄想ではありません。10年前に「スマホで改札も通れて、コンビニでも買い物できて、海外の人と電話代もかからずテレビ通話できる」ことが信じられなかったように、これは将来、技術の発達で起こりうる現実世界なのです。そういうような世界を考えるのに、現在の技術でできる範囲をアップデートし思考し続ける、それが私のいまの仕事です〉

それから4年が経ち、「Ａｍａｚｏｎ ＧＯ」のようなコンビニの無人化ソリューションも生まれ、それらはものすごいスピードで進展しています。人の振る舞いにとってのゲートはこれからも少なくなっていくことでしょう。

「ゲート」のように誰もが「当たり前」だと思って受け入れている――つまり、そこに「問題」があるとさえ考えていない――それでも、自分にとっては「いつか解決したい気になる問題」は、ほかにもあります。やはり4年前に執筆したことですが、以前の問題意識を再掲しておきましょう。

〈そのひとつは、建物に「継ぎ目」があること。改札の問題と同様、そんなことが気になる人はあまりいないでしょうが、私はとても不満に思っています。

有史以来、人類は「パーツ」の組み合わせで物を作ってきました。だから、建物でも、自動車でも机でもパソコンでも、人間が作った物には、土器のような一体成型のもの以外は必ず継ぎ目がある。しかし、たとえば生物の体には継ぎ目がありません。また、3Dプリンターも「パーツ」に分けずに立体成型するので、継ぎ目なしで物を作ることができます。

あらゆる物を継ぎ目なしで作れるようになれば、世界は大きく変わるでしょう。物をバラバラに分解するのが好きな子供はちょっと寂しい思いをするかもしれませんが、パーツごとに作って組み立てる手間がなくなりますし、壊れにくくもなるはずです。

ともかく、「改札口」や「継ぎ目」のようなスムーズではないものがあることが、私には気になってしまいます。それが残っているうちは、まだまだ世界は人間にとって自由な場所ではないように思えてならないのです。

もうひとつ、テレビやコンピュータなどの「平面ディスプレイ」という存在も、私は好きではありません。世界は三次元空間なのに、ディスプレイは二次元平面の場合が多いからです。

印刷が誕生して以来、人類は二次元的イメージでしか物を共有してきませんでした。私にはそう思えます。空間が三次元であることは頭ではわかっていても、写真や映像はそれを二次元でしか表現できません。これは人間の感覚や思考にとって大きな制約になっているのではないでしょうか。

そこから自由になるには、おそらく「重力」から解放されることが必要でしょう。もちろん重力があるおかげで私たちは地面の上で安定した生活を送ることができるわけですが、そのせいで、せっかく三次元ある世界を二・五次元ぐらいにしか使えていません。三次元をフルに使って思考や行動ができるようになれば、人類の生き方は激変するはずです〉

それがどういう技術で可能になるのかはまだわかりませんが、そういう「有史以来」ずっと人間が持ち続けている常識や既成概念を打ち破るのは、やはりコンピュータでしょう。

ほかにもまだ、そこに既成概念があること自体に誰も気づいていない問題があるでしょうが、コンピュータがあれば問題設定の枠組みそのものが広がるはずです。だからこそ、これからは「コンピュータで何ができるのか」を考えることが大事なのです。改札をなくしたい、継ぎ目のない建物を作りたい、ディスプレイを二次元から三次元に解放したい——いずれも人間の既成概念を覆す発想ですが、そのアイディア自体はきわめてシンプルなものです。複雑で深遠な思考を重ねた末に出てきた哲学的な問題とは違い、言われてみれば、また実際に見れば誰でも「なるほど、そうだな」と思えるでしょう。

ですから、解決すべき問題はその道のプロでなくても見つけられます。むしろプロのほうが、従来の発想に縛られて無邪気なことが考えられない面があるかもしれません。それこそ「建物に継ぎ目がある」ことなど、プロの建築家はほとんど疑問に思わないのではないでしょうか。

しかし、プロにはないシンプルな発想だけで問題を解決できるわけではありません。そこから先の実行段階では、専門家としての知識や経験や能力が必要です。コンピュータビジョンやロボット工学の第一人者である金出武雄先生（カーネギーメロン大学教授）に『素人のように考え、玄人として実行する』（ＰＨＰ研究所）という著書がありますが、まさにそのタイトルどおり、既成概念を打破するには「素人」と「玄人」の両面が求められると言えるでしょう。

当たり前ですが、「素人のように考えて、素人のように実行する」では、ろくな結果になりません。それで何かが実現できるなら、小学生でも世界を変えられるでしょう。でも、そういうわけにはいかない。問題は小学生でも発見できますが、それを解決するのはプロの仕事です。

一方、「玄人のように考えて、玄人のように実行する」の場合は、確実に何かを実現できるでしょうが、そこで解決されるのはかなりマニアックな問題になるでしょう。素人にはまったく見えない、その分野のエッジにある問題が解決されるだけです。狭い範囲でのマイナーチェンジはできますが、この世界を変えるほどのインパクトはありません。人の心を動かし、世界を変えようと思ったら、玄人にしかわからないものを作っていてはダメです。それは狭い範囲のカルチャーとしては生き延びることができますが、世界を変えることはできないでしょう。世界を変えるのは、もともと興味も関心もなかった人々の心を強烈にノックしてドアを開けさせる物やサービスです。そして、いちばん留意しないといけないのは、素人の心を失わないままに玄人になることです。それを考えながらキャリアを進めていく必要があると思います。

本気で長く考え続けること、好奇心とテンションを高めに設定し続けること、要領よく子どもであること。素人思考を保つためになるべくまっさらな気持ちでモノに向き合えると良いと、思っています。

「WOW!」を生み出すにはどうすればよいか

私のやっているメディアアートもそうですが、玄人が高度な技術や深い思想に基づいてクオリティの高いものを作っても、そこに素人も含めた万人共通の「WOW!」がなければウケません。この「WOW!」にもいくつか種類があって、いちばん簡単なのは「きれい」「美しい」と思わせるものを作ること。その次に簡単なのは、「ヤバい」「すげえ」と感情を動かすことでしょう。

それより難しいのは、「楽しい」と思わせること。この感覚には文化差があることも多いので、ある場所でウケたものが別の場所でもウケるとはかぎりません。たとえばアメリカで大人気のコメディアンが日本ではさっぱり受け入れられないということも、よくあります。逆に言うと、ほぼ全世界の人々に「楽しい」と思わせているハリウッドやディズニーのセンスは、凄まじくレベルが高いということになるでしょう。

それより難しいのが、「なんだかジーンとした」という感動です。これはもっとも言語化しにくい「WOW!」ですが、場合によってはその人の人生を変えてしまうほどのインパクトがある。いちばん簡単な「きれい」はプロが丁寧に仕事をすればできますが、ストーリーのないものでジーンと感動させるものはなかなか難しく、プロの技術や計算だけではできません。「素人のように考える」ことを忘れないセンスが求められるのです。

したがって、これからは「チームワーク」も重要になるでしょう。ひとりの人物が「素人のように考え、玄人のように実行する」のは限界があるからです。それを克服するには、チームを組んで分業したほうがいい。メンバーの誰かが素人のように考えて見つけたテーマを、専門性を持つ仲間が実行していくわけです。

数年前はまだ珍しかったＯｃｕｌｕｓ《オキュラス》のヘッドセットはいまや、他のメーカーも巻き込んで大きな産業になりつつあります。当時発売された「Ｏｃｕｌｕｓ Ｒｉｆｔ《オキュラスリフト》」というＶＲヘッドセットは、その当時の他のＶＲの視野角が25～45度程度なのに対して１１０度もの視野角を持ち、没入感のある３Ｄ映像を楽しめるものとして発売されました。まさにコロンブスの卵ともいえる、「ＷＯＷ！」の塊のようなアイディアですが、これを考えたのはパーマー・ラッキーという当時21歳の若者でした。

しかし、パーマーがひとりでアイディアを形にしたのではありません。彼には、高い専門性を持つ優秀なチームがありました。最初に「[*37]魚眼レンズをつけたらいいんじゃない？」というアイディアを出したのはパーマーでしたが、それを聞いた有名なゲームプログラマーが「じゃあ、画面を歪ませたらいいじゃん」と助言したのです。そしてチームは頭部をきちんとトラッキングすることによって酔いを軽減しました。そういったアイディアの積み重ねからどんどんチームの輪が広がり、最終的に彼らのベンチャー企業は2000億円でフェイスブック社が買収するまでになったのです。私もこのゴーグルが出たときは、「スマホの解像度が上がって、液晶パネルの値段が下がった。複雑な[*38]光学系を組むよりは、単レンズでやって歪みを解像度で補正したほうが効率的だ！　合理的だ、やられた！」と思いました。事実、Ｏｃｕｌｕｓが出た後、世間で出てくるＶＲのゴーグルのほとんどはこの単レンズでできた光学系を使っています。でもそれを成し遂げたのもチームの力であるところが大きいでしょう。その後、ソニーやマイクロソフトもＶＲの分野に参入しましたが、フェイスブック傘下になったＯｃｕｌｕｓはその後も「Ｏｃｕｌｕｓ Ｇｏ」や「Ｏｃｕｌｕｓ Ｑｕｅｓｔ」などの新製品を世に出し、存在感を保っています。

　ひと昔前なら、こうしたサクセス・ストーリーはひとりの天才の物語だけで終わっていたでしょう。せいぜいアップルのように、スティーヴ・ジョブズとスティーヴ・ウォズニアックの2人でガレージから始めた……という話になります。でも、これからの世界はひとりの天才では変えられません。何人もの「変態」が、お互いの専門性をかけ合わせることによって、世界規模の「WOW！」を生み出す時代です。たとえばパーマーはヘッドマウントディスプレイや古いゲーム機を収集するのが好きなギークだったように、猛烈に好きなことがある人間が集まると何か大きな科学変化が起きる。それを人はイノベーションと呼ぶのかもしれません。

自分の素人アイディアを誰かの専門性が解決してくれるかもしれないし、誰かのアイディアを解決するために自分の専門性が必要になるかもしれない。そこで力を発揮するためにも、やはり自分にとって気になる「小さな解決したい問題」を見定めて、その周辺を深く掘り下げていくこと、たくさんの人の視座で問題を見つめていくことが大事なのです。

注

＊33 電気回路などで、入力された信号の変化に対して、出力される時間（応答時間）の

目安となる数字を指す。アンプなどのそれを変えると、周波数が変わり音が変化する

＊34 気体の分子が電離して陽イオンと電子に分かれて運動している状態のこと

＊35 キーボードなどではなく、たとえば手で瓶をあけると音楽が再生される機械のように身体を使って情報にアクセスできる技術。およびそのインターフェイスのこと

＊36 没入型の体験のこと

＊37 カメラに使われるレンズの一種。広い視野角を写し出すことができる。風景は丸く屈折して見える

＊38 レンズやプリズム、鏡などを使って物体の像を作るまとまりのこと

参考文献

P172 Yoichi Ochiai, Pixels towards Pixies: Post-Multimedia interactions with Air-Based Media, SID, Volume 47, issue 1, 2016.

P175 Chris Anderson, Makers: The New Industrial Revolution, ISBN-13: 978-0307720955, 2012.

エピローグ　エジソンはメディアアーティストだと思う

社会に自分の価値を認めさせる

私は大学教員でありエンジニアでメディアアーティストという職業についていますが、メディアアーティストという職と研究者という職は一見すると結びつかないように思う人もいるかもしれません。芸術と技術と科学というものをバラバラに捉えてしまえば、それは確かに違うカテゴリーに属するかもしれませんが、私はデジタルネイチャーの世の中にはそういったカテゴリーもなくなっていくと考えています。面白いものを、そして自分しかできない価値を社会に出した人から、認められていく社会です。その中でインクリメンタル、つまり予定調和を繰り返し続けることでたどりつく視座からは決して価値を生み出せないでしょう。

いまの大学生の親世代が子どもだったときの日本は、真面目に努力していればそれなりに幸福になれる社会でした。いい学校を出ていい会社に入れば定年まで安定した生活が約束され、定年後も十分な年金をもらうことができたのが、戦後の日本です。むしろ、その世代の均一性がいまの乗り遅れた日本を作ったとも言えるのです。

なぜなら、コンピュータとインターネットがその社会を大きく変えたからです。そのとき、インターネットという価値観を理解するのに時間がかかった。それは大企業のホワイトカラーになれば何となく幸せな人生を送れるような世界ではありません。そういう世界で自分なりの幸福感を得るにはどんな生き方をすればよいのか。それはいまの社会で共有することが難しくなっている。前著を執筆した際、それを私なりに考えてきました。当時、なぜこういう本を出そうと思ったかといえば、2015年に上梓した『魔法の世紀』を読んだ読者から、「じゃあ、どうやって生きたらいいんですか。人間は必要なんですか?」と聞かれる機会が多くなったからです。それに、大学より上の人々に私は教育を提供していますが、中高生に何かを与えたい。彼らが人生を考えるようなチャンスになる本があれば、それは価値があるだろう、そしてたとえば受験勉強の意味のなさを理解した上で別の視点から目標を与えゲーム感覚でやるならば、それはまだ救いがあるのではないだろうかと思ったからです。そしてその基本的な考え方は今も変わりません。

最初に述べたように、システムには「モチベーション」がありません。そこが人間との大きな違いです。だから、モチベーションのない人間は発達したコンピュータにいつか飲み込まれてしまう。逆に、「これがやりたい」というモチベーションのある人間は、コンピュータが手助けしてくれます。クリエイティブ・クラスに必要な専門性は、そのモチベーションと表裏一体のものだといえるでしょう。「これが好きだ」「この問題を解決したい」という強烈な興味や好奇心が、その人の専門性の源泉になります。そういうモチベーションがないかぎり、掘り下げるべき専門性は身につきません。

私は中高生の頃から、ニーチェからエーリッヒ・フロムにいたるドイツ近代哲学が好きで、ずいぶんと読んできました。やさしい内容ではないけれど、自己啓発書を何冊も読むぐらいなら、1冊でいいからニーチェのような哲学書を理解して身に付くまで深く読んでみたほうがいいのではないでしょうか。私がとくに好きなのは、ニーチェの「超人」という概念です。様々な解釈があるとは思いますが、私は、ニーチェが最終的に「自分の価値を自己肯定すること」の正しさを説いているのだと思っています。自分という人間の持つ価値を自ら肯定し、それによって実存を圧倒的に踏み越えて行く。この感覚は、フロムにいたっても「信念」としか定義されていません。難しい話はともかく、自分の価値を認める強い「信念」こそが、これからの世界を生きていく上で大切だと思います。

人は歳を取れば取るほど「何のために生きるのか」を考えなくなり、目の前の幸福や不幸に右往左往しながら暮らしていくものですが、信念を持っている人間はその問いへの明確な答えを持つことができます。それは、「いまできる人類の最高到達点に足跡を残す」ということです。これはちょっとマッチョな、筋肉質な考え方だとも言えますが、少なくとも私はそれしか考えていませんし、研究者や芸術家をはじめとするクリエイティブ・クラスはおそらく誰もがそういったものを持っているでしょう。自分の価値＝オリジナリティと専門性を活かして、これまで人類が誰も到達できなかった地点に立つ。それが、自分の生きる意味であり価値だと思っています。でも、その到達法に関してはだいぶ柔軟に考えています。人類に考えをインストールすることができればいいので、古くからある権威主義的な動きをしなくても、会社を起こしてもいいし、メディアに出てもいいし、「ｎｏ te」で発信してもいいのです。

人間とコンピュータが親和した先に生まれる文化

インターネット以前の世界なら、必ずしも人類全体の最高到達点を目指さなくても良かったでしょう。村、国、会社といった小さな共同体の範囲内での「最高到達点」に立つことができれば、自分の価値を活かせているという実感が得られたのです。

しかし、もはや国境をはじめとする境界線の多くはインターネットによって融けたと言えるでしょう。それまでは、自分の世代でナンバーワンになることにも一定の価値がありましたが、いまは年齢の差も関係ありません。世界中のすべての人間が同じフィールドで競い合っているのがインターネット以後の社会です。

したがって、どこかの誰かと同じことをしても意味がありません。過去にあったものを再現してもダメで、いまの時点で人類の最高到達点を踏んだ人だけが勝者となるのです。

もちろん、そのレースの「種目」はひとつではありません。無数にあると言っていいでしょう。だから、自分しか気づかない小さな問題を解決するための専門性を身につけることで、その問題における「最高到達点」を狙うことができる。前述したように、70億人を相手にすれば、どんなにニッチな問題でも一つ一つの問題の解決が社会にとって大きな価値を生むことになるでしょう。そしてそこでは、世界の境界線を融かしたコンピュータが、私たちの武器にもなります。コンピュータは人類の脅威でもあるけれど、それなしで人間が世界を変えることもできません。人間の新しい生き方を提示する21世紀の思想は、間違いなくデジタル・カルチャーから生まれるはずです。

僕が大学院生だった頃、ベンチャーキャピタリストの伊藤穰一さんが、MIT（マサチューセッツ工科大学）メディアラボの所長に就任しました。今は退任されてしまいましたが、メディアラボは、表現とコミュニケーションに利用されるデジタル技術における世界最先端の研究所です。就任に当たってメディアラボ創設者で科学者のニコラス・ネグロポンテ氏が行った演説の一節は、こういうものでした。

「MITメディアラボは、これまで25年間、デジタル・カルチャーを牽引してきた。しかしいまは違う。われわれはデジタル・カルチャーそのものだ」

デジタル・カルチャーを育てる時代は終わった。これからは自分たちがやることそれ自体がデジタル・カルチャーだ——ということです。

これは実に素晴らしい演説でした。人間が単なる「便利な道具」としてコンピュータを利用するのではなく、コンピュータが地面のように私たちの足元にあるようなイメージでしょうか。人間とコンピュータが親和した先に、一体どんな文化が生まれるのか。そこではコンピュータを使う人も、コンピュータに指示されて動く人も、どちらが上でどちらが下というわけではなく、差別されない。個々人による選択の結果の、多様性がある幸福を互いに認め合い、享受できる世界です。この本では主にコンピュータを用いて問題を解決する人間になりたい人たちの指針について、語ってきました。生みの苦しみの時代、個人の労働が生活に必要不可欠ではない時代でも、それでも問題を提案し、解決することに意味を持たせようと努力する人々、この本を読んでいる読者の皆さんや私たちはいま、それを模索しなければいけません。

インターネット上で人間と機械の区別がつかない時代

「その技術は何の役に立つんですか？」

私のような工学系の研究者は、よくそんな質問を受けます。物体を宙に浮かせて動かして、お金が生まれるのかと聞いているのでしょう。おそらくコンピュータを単なる「便利な道具」としか認識していないのではないでしょうか。

しかし、これはあまり本質的な問いではありません。私は、必ずしも世の中の利便性を高めるために研究をしているのではないからです。

物体が空中に浮いたり、改札がなくなったりすれば、たしかに結果として利便性は向上するでしょう。でも、それが目的ではない。人間とコンピュータ、そして自然を含めた新しい関係性を考え、超自然を定義し、つまり言ってみれば哲学し続けるために、新しい技術を開発しているのです。

たとえば映像やラジオ放送の技術は、20世紀の人類の精神や生活に多大な影響を与えました。その発明には、単に「役に立つ」以上のインパクトがあったはずです。映像とラジオがなければ、おそらく第二次世界大戦は起こらなかったでしょう。

その結果、世界の秩序は大きく変わりました。新しい技術によってもたらされた情報環境が、人類の社会を激変させたのです。

図6 エジソンは数々のプラットフォームを生み出したメディアアーティスト

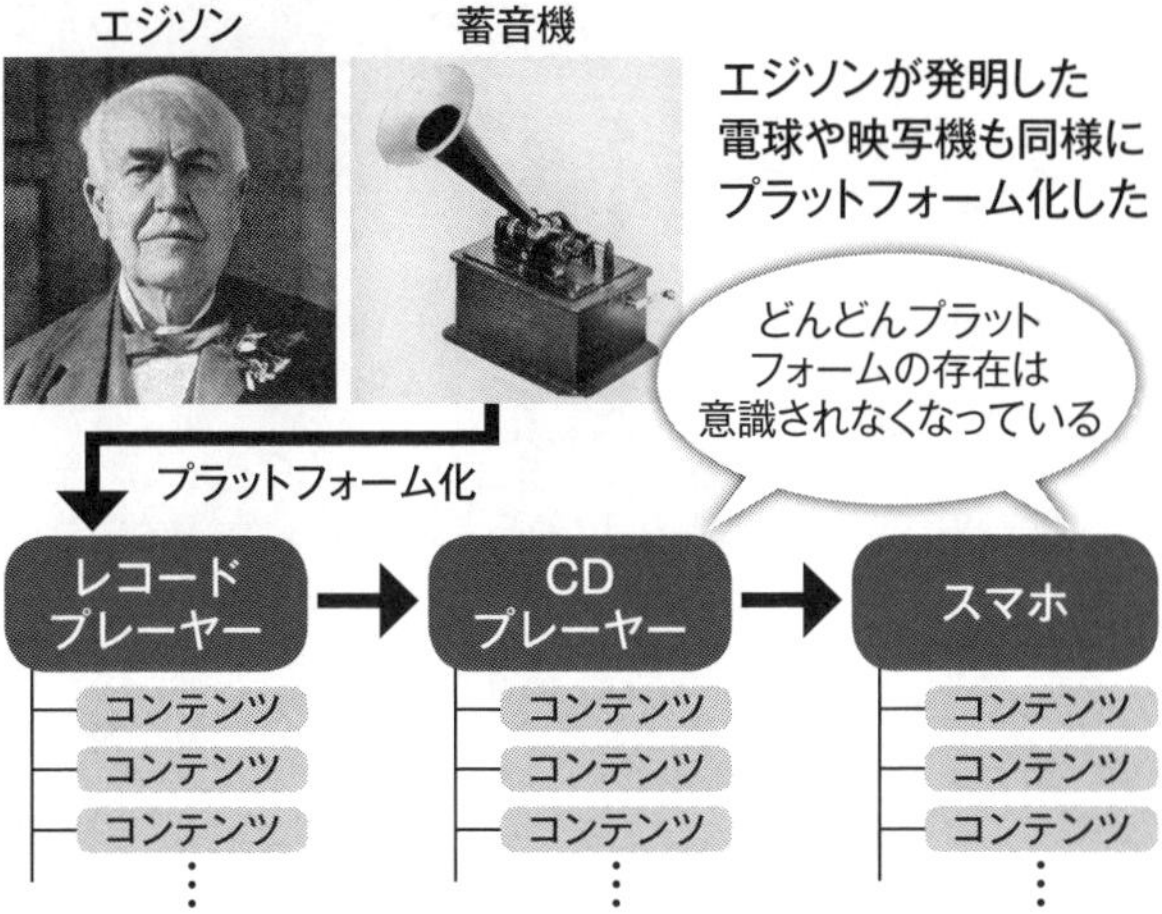

Bridgeman Art Library/AFLO　Science Museum/Science & Society Picture Library/AFLO

そういった観点で、映像を作り出したエジソンはある種の芸術家だったと言うこともできるのではないでしょうか。人の文化的側面を、発明によって描き出すことに成功したからです。彼が芸術家的・美的な観点から評価されなかったのは、環境の側、文化の側に彼を許容する能力がなかったからではないかと私は考えています。いまの我々なら、エジソンはプラットフォームを次々に生み出していく芸術家、つまりメディア自体を世に送り出す芸術家、メディアアーティストとしても捉えることができるかもしれないと、2016年頃はよく考えていました。

映像の世紀のメディアは、個々の情報発信者が「マス」を相手にするものでした。現在も新聞やテレビなどのマスコミはそれが基本ですが、インターネットの世界はそうではありません。「マス」が「マス」に対して情報を発信するメディアです。

かつてアンディ・ウォーホルは「やがて人々は15分だけ世界的な有名人になれるだろう」という名言を残しましたが、インターネットはまさにそれを可能にしました。ウィキペディアには著名人しか項目がありませんが、フェイスブックのアカウントを持っていれば、同じことです。無名の人でも、ひとたび事故や犯罪などに巻き込まれれば、そのページにアクセスが殺到して「有名人」になってしまうのです。

また、ネット上で自ら「事件」を共有して有名になる人も出てきました。たとえば前著の執筆当時、アルバイト先の冷蔵庫に入って写真を撮り、ツイッターで公開する人もいれば、自ら作った精緻なアートや、化粧で変身する動画で一躍有名になった動画クリエイターもいます。そんな人々を喜ばせたり、あるいは道理に反した行動ひとつで、良くも悪くも「世界的な有名人」になれるのが、インターネットというメディアです。

インターネット以前にも、同じような悪戯や創作を行っていた人間は山ほどいるでしょう。しかしその時代は、変わった写真を撮っても仲間うちで回覧される程度のことでした。些細なニュースですから、大きく新聞ネタになることはありませんでした。それがネット上では世界レベルで拡散され、ネットで「炎上」したことが新聞ネタになる時代なのです。最近は、不当に人を炎上させたり、プロフィールに「月収〇〇万円」と書くことでフォロワーを集めるなど、以前とは違った風潮も一部で見られます。ただ、ネットリテラシーという言葉をよく耳にするようになりましたが、インターネットでの発言は自分のものとして責任が併います。

小学生のとき、「人間」という字は「人と人の間」と書くから、人間には社会性が必要なのです――と教わったことがあります。しかしいまは、「人と人の間」にはインターネットがあります。その意味では、「人間＝インターネット」と言ってもいいでしょう。もはやインターネットは人間そのものです。人間とインターネットは、区別がつかない。つまり、人間とコンピュータの区別がつかない時代に近づきつつあります。だから「デジタルネイチャー」なのです。

いまや生身の私とネット上で発信している私のアカウントの、どちらが「落合陽一」という人間なのかも定かではないでしょう。この本が最初に出た時は、ツイッターアカウントは私が自分でつぶやいていましたが、現在ではＢｏｔになっています。生身の私が他のことをしているあいだに、私のアカウントが勝手にツイートしていることも増えました。

そのとき、「どっちが本物の落合さん?」と思っても、他人から見ると「どちらも本物」としか答えようがないでしょう。人が様々な形で存在する。それが人間とコンピュータの新しい関係性であり、デジタルネイチャーの本質だと私は考えています。

そういう世界で「自分」の価値を高め、幸福な人生を送るには何をすべきなのか。

これから自分の進む道を模索する若い人たちは、それを考えなければいけません。確固たる専門性とオリジナリティを持たないかぎり、この世界で「自分という人間の価値」を自己肯定することはできないでしょう。

世界に変化を生み出すような執念を持った人に共通する性質を、私は「独善的な利他性」だと思っています。それは、独善的＝たとえ勘違いだったとしても、自分は正しいと信じていることを疑わず、利他性＝それが他人のためになると信じてあらゆる努力を楽しんで行うことができる人だと思います。そのためには、まず猿真似でもいいから始めること、そして自分の視座を執念深く追求し、興味を見つけ極めていくことが重要なので、たくさんの知識を貪欲に吸収してオリジナリティを追求していってほしい。それはこれから先、いつの時代でも幸福な生き方だと思います。

願わくば、この本を読んでくれた人たちが、激変している世界の姿をリアルに感じて、「自分が解決すべき小さな問題」を探し始めてくれたとしたら、とても嬉しく思います。

いつか環境は、デジタルネイチャーになる。それは、システム知能のもたらす悲観的なディストピアではなく、個々人の幸福感と目的意識を親和させ、対話可能になった知的な自然の形です。私たちは、自分の生きてきた意味と生まれた意味を問題に置き換え、知的生産によって新しい概念、そして新しい物理世界を作る喜びの中で生きるでしょう。そういった世界に向かって、何を今日から始めるのか。世界がいまウイルスとの戦いの中にある状態で、我々の世界はより大きな変化の中にいます。デジタルへの移行はより進み、人は物質的なやり取り以上に電子的なやりとりも行うようになっていくことでしょう。

この本の読者である、いまはまだ若い君たちが未来を作ってくれることを願っています。

新書版あとがき――新しい自然の風景を創りたい

２０１６年に出版した本のリバイバルで、しかも現状で少し先のこともよくわからない２０２０年４月の風景の中で、落合陽一は悩んでいました。

ウィズコロナ、ポストコロナなどと言っている今、こんな本を出す!?　内容は気に入っているが、時代性が合わなくないか？　これが私の苦悩です。

２０１６年から変わったことと言えば、私は現在、筑波大学で主宰する「デジタルネイチャー研究室」で研究と学生の指導にあたる一方で、代表取締役を務めるピクシーダストテクノロジーズ株式会社でビジネスも進めています。研究でもビジネスでも、ここ数年は、身体障害者や高齢者の補助や介助などのプロジェクトに特に力を入れてきました。

たとえば大学の研究室では、自動運転車椅子「Telewheel chair」を開発。ＶＲのヘッドセットとコントローラーを使って車椅子を遠隔操作したり、隊列走行させたりと、多くのプロトタイプを作りました。介護施設で入居者を一斉に食堂などに連れて行く、その解決策を探るためです。介護士の手間を減らすためには様々な手法を考える必要がありますし、ウイルス以降の社会では多くの変化が起きるはずですから、現在は様々なプロトタイプを考えています。

また、国の研究プロジェクトであるJST CREST X DIVERSITY（クロスダイバーシティ）というプロジェクトでは、研究代表者を務めています。これは、身体的・能力的困難の超克と、それらに伴う社会課題の解決に取り組むプロジェクトです。自動運転車椅子だけでなく、義足の開発や、視覚障害者や聴覚障害者のためにオーディオ・ヴィジュアル能力を拡張するなど、さまざまな技術を提供しています。

主に、ピクシーダストテクノロジーズでは、建設現場をはじめとする多くの現場の自動化など、情報と物理世界が融合するビジョンに向けて、事業開発を進めています。

ところで、なぜ私はこういった研究や事業を手がけているのでしょうか。この質問に答えるのは簡単です。それが、自分の目指す、新しい自然の風景とは乖離した、社会の部分だからです。そして私は、自分の見ている風景にとって自然でありたいと考えるので、社会の課題を「解決したい」というモチベーションが生まれ、それに取り組むのです。見たい風景や、自分の考える自然がそこにあって、いまだ名状しがたいその自然に手を伸ばすのは、生きる意味を再確認する行為です。

やりたいから、やる。困難は問わない――きわめてシンプルな話ですが、本書で述べてきたとおり、そういう「モチベーション」で動くことこそが、システム的であることと、人間的であることとの違いにほかなりません。どんなに高いスペックとスキルを持つシステムでも、損得関係なく「これをやりたい」というモチベーションは持つことができないでしょう。ですから、システムに「使われる」側ではない生き方・働き方をしようと思うなら、何よりもまず、「こんな社会にしたい」「世界をこう変えたい」という強いモチベーションを持つべきでしょう。何が見えるか、が勝負だと思います。

そういった目線を世界と共有する意味で、SDGs（Sustainable Development Goals）という概念が広がっています。これは2030年までに、持続可能な社会を作り上げようというものです。貧困、飢餓、教育、水、衛生――世界には、解決すべき課題が数多くあります。課題解決によって世界を変革することは、人間的に解決していくしかありません。

だとすれば、これからクリエイティブ・クラスとして生きていく上でいちばん求められるのは、自分だけの「世界観」を持つことでしょう。すでにテクノロジーの面では素地が整っていますから、まもなくやってくる「働き方5・0」の時代には、個々の人間が持つオリジナリティが重要になるのです。「こいつは、このテーマで語らせたら永遠に喋り続けるんだろうな」——周囲の人間がそういって苦笑するぐらい個性的な世界観。これからの世界は、それを持っている人間ほど強いと思います。

とくに現在の日本社会は、1960年代から1970年代にかけて作られた法律や制度などが機能不全を起こしたまま温存されています。課題が山積みなのです。ウィズコロナ、そしてポストコロナの世界は、災禍を乗り込えてそういった変革を起こしていく契機になることでしょう。日々、課題に向かい合う人々にエールを送りつつ、その先を目指すために実装を進めるものでありたい。

自分にしかまだ見えていない風景を創り出したい。

そんな人間的なモチベーションを持って、新しい時代を担う世代が広い視野を持つ強靱な世界観を自分の中に育ててくれることを期待しています。

落合陽一［おちあい・よういち］

メディアアーティスト。1987年生まれ。東京大学大学院学際情報学府博士課程修了（学際情報学府初の早期修了）、博士（学際情報学）。筑波大学准教授・デジタルネイチャー推進戦略研究基盤代表・JST CREST xDiversityプロジェクト研究代表。2015年World Technology Award、2016年Prix Ars Electronica、EUよりSTARTS Prizeを受賞。Laval Virtual Awardを2017年まで4年連続5回受賞、2019年SXSW Creative Experience ARROW Awards受賞、2017年スイスのサンガレン・シンポジウムよりLeaders of Tomorrow選出。専門はHCIおよび知能化技術を用いた応用領域（計算機ホログラム、デジタルファブリケーション、VR、視聴触覚ディスプレイ、移動ロボットなど）の探求。個展として「Image and Matter（マレーシア・2016）」、「質量への憧憬（東京・2019）」、「情念との反芻（ライカ銀座・2019）」など多数開催。近著として『デジタルネイチャー』(PLANETS)、『2030年の世界地図帳』（SBクリエイティブ）、写真集『質量への憧憬』（Amana）など。オンラインサロン「落合陽一塾」では日々様々なトピックでのディスカッションや学びを続けている。

落合陽一塾　https://lounge.dmm.com/detail/48/

図版・DTP：ためのり企画
編集：工藤一泰

働き方5・0

これからの世界をつくる仲間たちへ

二〇二〇年　六月八日　初版第一刷発行

著者　落合陽一
発行人　鈴木崇司
発行所　株式会社小学館
〒一〇一－八〇〇一　東京都千代田区一ツ橋二ノ三ノ一
電話　編集：〇三－三二三〇－九三〇二
販売：〇三－五二八一－三五五五
印刷・製本　中央精版印刷株式会社

Printed in Japan ISBN978-4-09-825371-5